folio
junior

Collection dirigée par Jean-Philippe Arrou-Vignod

Pour en savoir plus :
http://www.cercle-enseignement.fr

Charles Perrault

Contes choisis

Illustrations de Gustave Doré

Choix des contes, notes et Carnet de lecture par
Muriel Bloch et Christiane Gayerie

GALLIMARD JEUNESSE

La Belle au bois dormant

Il était une fois un Roi et une Reine qui étaient si fâchés de n'avoir point d'enfants, si fâchés qu'on ne saurait dire. Ils allèrent à toutes les eaux[1] du monde, vœux, pèlerinages, menues dévotions ; tout fut mis en œuvre, et rien n'y faisait.

Enfin pourtant la Reine devint grosse, et accoucha d'une fille : on fit un beau Baptême ; on donna pour Marraines à la petite Princesse toutes les Fées qu'on pût trouver dans le Pays (il s'en trouva sept), afin que chacune d'elles lui faisant un don, comme c'était la coutume des Fées en ce temps-là, la Princesse eût par ce moyen toutes les perfections imaginables.

Après les cérémonies du Baptême toute la compagnie revint au Palais du Roi, où il y avait un grand festin pour les Fées. On mit devant chacune d'elles un couvert magnifique, avec un étui d'or massif, où il y avait une cuiller, une fourchette, et un couteau de fin or, garni de diamants et de rubis.

1. Aller aux eaux : faire une cure dans un lieu où les eaux ont des propriétés médicinales.

Mais comme chacun prenait sa place à table, on vit entrer une vieille Fée qu'on n'avait point priée [1] parce qu'il y avait plus de cinquante ans qu'elle n'était sortie d'une Tour et qu'on la croyait morte, ou enchantée [2].

Le Roi lui fit donner un couvert, mais il n'y eut pas moyen de lui donner un étui d'or massif, comme aux autres, parce que l'on n'en avait fait faire que sept pour les sept Fées. La vieille crut qu'on la méprisait, et grommela quelques menaces entre ses dents.

Une des jeunes Fées qui se trouva auprès d'elle l'entendit, et jugeant qu'elle pourrait donner quelque fâcheux don à la petite Princesse, alla, dès qu'on fut sorti de table, se cacher derrière la tapisserie, afin de parler la dernière, et de pouvoir réparer autant qu'il lui serait possible le mal que la vieille aurait fait.

Cependant les Fées commencèrent à faire leurs dons à la Princesse. La plus jeune lui donna pour don qu'elle serait la plus belle du monde, celle d'après qu'elle aurait de l'esprit comme un Ange, la troisième qu'elle aurait une grâce admirable à tout ce qu'elle ferait, la quatrième qu'elle danserait parfaitement bien, la cinquième qu'elle chanterait comme un Rossignol, et la sixième qu'elle jouerait de toutes sortes d'instruments dans la dernière perfection.

1. Priée : invitée. 2. Enchantée : ensorcelée.

Le rang [1] de la vieille Fée étant venu, elle dit en branlant la tête, encore plus de dépit que de vieillesse, que la Princesse se percerait la main d'un fuseau, et qu'elle en mourrait.

Ce terrible don fit frémir toute la compagnie, et il n'y eut personne qui ne pleurât. Dans ce moment la jeune Fée sortit de derrière la tapisserie, et dit tout haut ces paroles :

– Rassurez-vous, Roi et Reine, votre fille n'en mourra pas : il est vrai que je n'ai pas assez de puissance pour défaire entièrement ce que mon ancienne a fait. La Princesse se percera la main d'un fuseau ; mais au lieu d'en mourir, elle tombera seulement dans un profond sommeil qui durera cent ans, au bout desquels le fils d'un Roi viendra la réveiller.

Le Roi, pour tâcher d'éviter le malheur annoncé par la vieille, fit publier aussitôt un Édit [2], par lequel il défendait à tous de filer au fuseau, ni d'avoir des fuseaux chez soi sur peine de la vie [3].

Au bout de quinze ou seize ans, le Roi et la Reine étant allés à une de leurs Maisons de plaisance, il arriva que la jeune Princesse courant un jour dans le Château, et montant de chambre en chambre, alla jusqu'au haut d'un donjon dans un

---

1. Rang : tour. **2.** Édit : décision royale. **3.** Sur peine de la vie : sous peine de mourir.

petit galetas [1], où une bonne vieille était seule à filer sa quenouille. Cette bonne femme n'avait point ouï [2] parler des défenses que le Roi avait faites de filer au fuseau.

– Que faites-vous là, ma bonne femme ? dit la Princesse.

– Je file, ma belle enfant, lui répondit la vieille qui ne la connaissait pas.

– Ha ! que cela est joli, reprit la Princesse, comment faites-vous ? Donnez-moi que je voie si j'en ferais bien autant.

Elle n'eut pas plus tôt pris le fuseau, que comme elle était fort vive, un peu étourdie, et que d'ailleurs l'Arrêt des Fées l'ordonnait ainsi, elle s'en perça la main, et tomba évanouie.

La bonne vieille, bien embarrassée, crie au secours : on vient de tous côtés, on jette de l'eau au visage de la Princesse, on la délace [3], on lui frappe dans les mains, on lui frotte les tempes avec de l'eau de la Reine de Hongrie ; mais rien ne la faisait revenir.

Alors le Roi, qui était monté au bruit, se souvint de la prédiction des Fées, et jugeant bien qu'il fallait que cela arrivât, puisque les Fées l'avaient dit, fit mettre la Princesse dans le plus bel appartement du Palais, sur un lit en broderie d'or et d'argent.

---

1. Galetas : grenier. 2. Ouï : entendu. 3. On la délace : on lui desserre son corset.

On eût dit d'un Ange, tant elle était belle ; car son évanouissement n'avait pas ôté les couleurs vives de son teint : ses joues étaient incarnates, et ses lèvres comme du corail ; elle avait seulement les yeux fermés, mais on l'entendait respirer douce-ment, ce qui montrait bien qu'elle n'était pas morte. Le Roi ordonna qu'on la laissât dormir, jus-qu'à ce que son heure de se réveiller fût venue.

La bonne Fée qui lui avait sauvé la vie, en la condamnant à dormir cent ans, était dans le Royaume de Mataquin, à douze mille lieues de là, lorsque l'accident arriva à la Princesse ; mais elle en fut avertie en un instant par un petit Nain, qui avait des bottes de sept lieues (c'était des bottes avec lesquelles on faisait sept lieues d'une seule enjambée). La Fée partit aussitôt, et on la vit au bout d'une heure arriver dans un chariot tout de feu, traîné par des dragons. Le Roi lui alla présen-ter la main à la descente du chariot. Elle approuva tout ce qu'il avait fait ; mais comme elle était gran-dement prévoyante, elle pensa que quand la Prin-cesse viendrait à se réveiller, elle serait bien embarrassée toute seule dans ce vieux Château.

Voici ce qu'elle fit : elle toucha de sa baguette tout ce qui était dans ce Château (hors le Roi et la Reine), Gouvernantes, Filles d'Honneur[1], Femmes

1. Filles d'honneur : filles qui servent la reine.

de Chambre, Gentilshommes, Officiers, Maîtres d'Hôtel, Cuisiniers, Marmitons, Galopins [1], Gardes, Suisses [2], Pages, Valets de pied [3] ; elle toucha aussi tous les chevaux qui étaient dans les Écuries, avec les Palefreniers, les gros mâtins de basse-cour [4], et Pouffe, la petite chienne de la Princesse, qui était auprès d'elle sur son lit. Dès qu'elle les eut touchés, ils s'endormirent tous, pour ne se réveiller qu'en même temps que leur Maîtresse, afin d'être tout prêts à la servir quand elle en aurait besoin : les broches mêmes qui étaient au feu toutes pleines de perdrix et de faisans s'endormirent, et le feu aussi. Tout cela se fit en un moment ; les Fées n'étaient pas longues à leur besogne.

Alors le Roi et la Reine, après avoir embrassé leur chère enfant sans qu'elle s'éveillât, sortirent du Château, et firent publier des défenses à qui que ce soit d'en approcher. Ces défenses n'étaient pas nécessaires, car il crût [5] dans un quart d'heure tout autour du parc une si grande quantité de grands arbres et de petits, de ronces et d'épines entrelacées les unes dans les autres, que bête ni homme n'y aurait pu passer : en sorte qu'on ne voyait plus que le haut des Tours du Château, encore n'était-ce que de bien loin. On ne douta point que la Fée

1. Galopins : petits garçons de cuisine. 2. Suisses : portiers de grands seigneurs. 3. Valets de pied : domestiques en habit aux couleurs d'un grand personnage et qui le suivent. 4. Gros mâtins de basse-cour : gros chiens de l'arrière-cour où sont logés les valets. 5. Il crût (du verbe « croître ») : il grandit.

n'eût encore fait là un tour de son métier, afin que la Princesse, pendant qu'elle dormirait, n'eût rien à craindre des Curieux.

Au bout de cent ans, le Fils du Roi qui régnait alors, et qui était d'une autre famille que la Princesse endormie, étant allé à la chasse de ce côté-là, demanda ce que c'était que ces Tours qu'il voyait au-dessus d'un grand bois fort épais ; chacun lui répondit selon qu'il en avait ouï parler.

Les uns disaient que c'était un vieux Château où il revenait des Esprits ; les autres que tous les Sorciers de la contrée y faisaient leur sabbat. La plus commune opinion était qu'un Ogre y demeurait, et que là il emportait tous les enfants qu'il pouvait attraper, pour pouvoir les manger à son aise, et sans qu'on le pût suivre, ayant seul le pouvoir de se faire un passage au travers du bois.

Le Prince ne savait qu'en croire, lorsqu'un vieux Paysan prit la parole, et lui dit :

— Mon Prince, il y a plus de cinquante ans que j'ai entendu dire de mon père qu'il y avait dans ce Château une Princesse, la plus belle du monde ; qu'elle devait y dormir cent ans, et qu'elle serait réveillée par le fils d'un Roi, à qui elle était réservée.

Le jeune Prince à ce discours se sentit tout de feu ; il crut sans hésiter qu'il mettrait fin à une si belle aventure ; et poussé par l'amour et par la gloire, il résolut de voir sur-le-champ ce qu'il en était.

À peine s'avança-t-il vers le bois, que tous ces grands arbres, ces ronces et ces épines s'écartèrent d'eux-mêmes pour le laisser passer : il marcha vers le Château qu'il voyait au bout d'une grande avenue où il entra, et ce qui le surprit un peu, il vit que personne de ses gens ne l'avait pu suivre, parce que les arbres s'étaient rapprochés dès qu'il avait été passé.

Il ne laissa pas de continuer [1] son chemin : un Prince jeune et amoureux est toujours vaillant. Il entra dans une grande avant-cour où tout ce qu'il vit d'abord était capable de le glacer de crainte : c'était un silence affreux, l'image de la mort s'y présentait partout, et ce n'était que des corps étendus d'hommes et d'animaux, qui paraissaient morts. Il reconnut pourtant bien au nez bourgeonné et à la face vermeille des Suisses qu'ils n'étaient qu'endormis, et leurs tasses, où il y avait encore quelques gouttes de vin, montraient assez qu'ils s'étaient endormis en buvant.

Il passe une grande cour pavée de marbre, il monte l'escalier, il entre dans la salle des Gardes qui étaient rangés en haie, l'arme sur l'épaule, et ronflant de leur mieux. Il traverse plusieurs chambres pleines de Gentilshommes et de Dames, dormant tous, les uns debout, les autres assis ; il

---

1. Il ne laissa pas de continuer : il ne s'arrêta pas.

entre dans une chambre toute dorée, et il vit sur un lit, dont les rideaux étaient ouverts de tous côtés, le plus beau spectacle qu'il eût jamais vu : une Princesse qui paraissait avoir quinze ou seize ans, et dont l'éclat resplendissant avait quelque chose de lumineux et de divin. Il s'approcha en tremblant et en admirant, et se mit à genoux auprès d'elle.

Alors comme la fin de l'enchantement était venue, la Princesse s'éveilla ; et le regardant avec des yeux plus tendres qu'une première vue ne semblait le permettre :

– Est-ce vous, mon Prince ? lui dit-elle, vous vous êtes bien fait attendre.

Le Prince, charmé de ces paroles, et plus encore de la manière dont elles étaient dites, ne savait comment lui témoigner sa joie et sa reconnaissance ; il l'assura qu'il l'aimait plus que lui-même. Ses discours furent mal rangés [1], ils en plurent davantage : peu d'éloquence, beaucoup d'amour. Il était plus embarrassé qu'elle, et l'on ne doit pas s'en étonner ; elle avait eu le temps de songer à ce qu'elle aurait à lui dire, car il y a apparence (l'Histoire n'en dit pourtant rien) que la bonne Fée, pendant un si long sommeil, lui avait procuré le plaisir des songes agréables. Enfin il y avait quatre heures

1. Mal rangés : confus.

qu'ils se parlaient, et ils ne s'étaient pas encore dit la moitié des choses qu'ils avaient à se dire.

Cependant tout le Palais s'était réveillé avec la Princesse ; chacun songeait à faire sa charge[1], et comme ils n'étaient pas tous amoureux, ils mouraient de faim ; la Dame d'honneur, pressée comme les autres, s'impatienta, et dit tout haut à la Princesse que la viande était servie.

Le Prince aida la Princesse à se lever ; elle était tout habillée et fort magnifiquement ; mais il se garda bien de lui dire qu'elle était habillée comme ma grand-mère, et qu'elle avait un collet monté[2] : elle n'en était pas moins belle.

Ils passèrent dans un Salon de miroirs, et y soupèrent, servis par les Officiers de la Princesse ; les Violons et les Hautbois jouèrent de vieilles pièces[3], mais excellentes, quoiqu'il y eût près de cent ans qu'on ne les jouât plus ; et après souper, sans perdre de temps, le grand Aumônier[4] les maria dans la Chapelle du Château, et la Dame d'honneur leur tira le rideau : ils dormirent peu, la Princesse n'en avait pas grand besoin, et le Prince la quitta dès le matin pour retourner à la Ville, où son Père devait être en peine de lui.

Le Prince lui dit qu'en chassant il s'était perdu

---

1. Faire sa charge : s'acquitter de son emploi. 2. Collet monté : haut col de dentelle maintenu par un fil et totalement démodé au XVIIe siècle. 3. Pièces : morceaux de musique. 4. Aumônier : religieux au service d'un personnage important.

dans la forêt, et qu'il avait couché dans la hutte d'un Charbonnier, qui lui avait fait manger du pain noir et du fromage. Le Roi son père, qui était bon homme, le crut, mais sa Mère n'en fut pas bien persuadée, et voyant qu'il allait presque tous les jours à la chasse, et qu'il avait toujours une raison pour s'excuser, quand il avait couché deux ou trois nuits dehors, elle ne douta plus qu'il n'eût quelque amourette : car il vécut avec la Princesse plus de deux ans entiers, et en eut deux enfants, dont le premier, qui fut une fille, fut nommée l'Aurore, et le second un fils, qu'on nomma le Jour, parce qu'il paraissait encore plus beau que sa sœur.

La Reine dit plusieurs fois à son fils, pour le faire s'expliquer, qu'il fallait se contenter dans la vie, mais il n'osa jamais se fier à elle de son secret [1] ; il la craignait quoiqu'il l'aimât, car elle était de race Ogresse, et le roi ne l'avait épousée qu'à cause de ses grands biens ; on disait même tout bas à la Cour qu'elle avait les inclinations des Ogres, et qu'en voyant passer de petits enfants, elle avait toutes les peines du monde à se retenir de se jeter sur eux ; ainsi le Prince ne voulut jamais rien dire.

Mais quand le Roi fut mort, ce qui arriva au bout de deux ans, et qu'il se vit le maître, il déclara publiquement son Mariage, et alla en grande cérémonie

1. Se fier à elle de son secret : lui confier son secret.

chercher la Reine sa femme dans son Château. On lui fit une entrée magnifique dans la Ville Capitale, où elle entra au milieu de ses deux enfants.

Quelque temps après, le Roi alla faire la guerre à l'Empereur Cantalabutte son voisin. Il laissa la Régence [1] du Royaume à la Reine sa mère, et lui recommanda vivement sa femme et ses enfants : il devait être à la guerre tout l'Été, et dès qu'il fut parti, la Reine-Mère envoya sa Bru et ses enfants à une maison de campagne dans les bois, pour pouvoir plus aisément assouvir son horrible envie.

Elle y alla quelques jours après, et dit un soir à son Maître d'Hôtel :

— Je veux manger demain à mon dîner la petite Aurore.

— Ah ! Madame, dit le Maître d'Hôtel.

— Je le veux, dit la Reine (et elle le dit d'un ton d'Ogresse qui a envie de manger de la chair fraîche), et je veux la manger à la Sauce-Robert.

Ce pauvre homme, voyant bien qu'il ne fallait pas se jouer [2] à une Ogresse, prit son grand couteau, et monta à la chambre de la petite Aurore : elle avait alors quatre ans, et vint en sautant et en riant se jeter à son col, et lui demander du bonbon.

Il se mit à pleurer, le couteau lui tomba des mains, et il alla dans la basse-cour couper la gorge à un petit

---

1. Régence : gouvernement du royaume exercé par une autre personne que le souverain. **2.** Se jouer à une ogresse : se risquer à attaquer une ogresse.

agneau, et lui fit une si bonne sauce que sa Maîtresse l'assura qu'elle n'avait jamais rien mangé de si bon. Il avait emporté en même temps la petite Aurore, et l'avait donnée à sa femme pour la cacher dans le logement qu'elle avait au fond de la basse-cour.

Huit jours après, la méchante Reine dit à son Maître d'Hôtel :

– Je veux manger à mon souper le petit Jour.

Il ne répliqua pas, résolu de la tromper comme l'autre fois ; il alla chercher le petit Jour, et le trouva avec un petit fleuret à la main, dont il faisait des armes[1] avec un gros Singe : il n'avait pourtant que trois ans. Il le porta à sa femme qui le cacha avec la petite Aurore, et donna à la place du petit Jour un petit chevreau fort tendre, que l'Ogresse trouva admirablement bon.

Cela était fort bien allé jusque-là, mais un soir cette méchante Reine dit au Maître d'Hôtel :

– Je veux manger la Reine à la même sauce que ses enfants.

Ce fut alors que le pauvre Maître d'Hôtel désespéra de pouvoir encore la tromper. La jeune Reine avait vingt ans passés, sans compter les cent ans qu'elle avait dormi : sa peau était un peu dure, quoique belle et blanche ; et le moyen de trouver dans la Ménagerie[2] une bête aussi dure que cela ?

---

1. Il faisait des armes : il croisait le fer, se battait contre. **2.** Ménagerie : endroit où l'on engraisse les animaux.

Il prit la résolution, pour sauver sa vie, de couper la gorge à la Reine, et monta dans sa chambre, dans l'intention de n'en pas faire à deux fois[1]; il s'excitait à la fureur, et entra le poignard à la main dans la chambre de la jeune Reine. Il ne voulut pourtant point la surprendre, et il lui dit avec beaucoup de respect l'ordre qu'il avait reçu de la Reine-Mère.

– Faites votre devoir, lui dit-elle, en lui tendant le cou; exécutez l'ordre qu'on vous a donné; j'irai revoir mes enfants, mes pauvres enfants que j'ai tant aimés; car elle les croyait morts depuis qu'on les avait enlevés sans rien lui dire.

– Non, non, Madame, lui répondit le pauvre Maître d'Hôtel tout attendri, vous ne mourrez point, et vous ne laisserez pas d'aller revoir vos chers enfants, mais ce sera chez moi où je les ai cachés, et je tromperai encore la Reine, en lui faisant manger une jeune biche en votre place.

Il la mena aussitôt à sa chambre, où la laissant embrasser ses enfants et pleurer avec eux, il alla accommoder une biche, que la Reine mangea à son souper, avec le même appétit que si c'eût été la jeune Reine. Elle était bien contente de sa cruauté, et elle se préparait à dire au Roi, à son retour, que les loups enragés avaient mangé la Reine sa femme et ses deux enfants.

1. De n'en pas faire à deux fois : de ne pas s'y prendre à deux fois.

Un soir qu'elle rôdait comme d'habitude dans les cours et basses-cours du Château pour y halener [1] quelque viande fraîche, elle entendit dans une salle basse le petit Jour qui pleurait, parce que la Reine sa mère le voulait faire fouetter, parce qu'il avait été méchant, et elle entendit aussi la petite Aurore qui demandait pardon pour son frère.

L'Ogresse reconnut la voix de la Reine et de ses enfants, et furieuse d'avoir été trompée, elle commande dès le lendemain au matin, avec une voix épouvantable, qui faisait trembler tout le monde, qu'on apportât au milieu de la cour une grande cuve, qu'elle fit remplir de crapauds, de vipères, de couleuvres et de serpents, pour y faire jeter la Reine et ses enfants, le Maître d'Hôtel, sa femme et sa servante : elle avait donné ordre de les amener les mains liées derrière le dos.

Ils étaient là, et les bourreaux se préparaient à les jeter dans la cuve, lorsque le Roi, qu'on n'attendait pas si tôt, entra dans la cour à cheval ; il était venu en poste, et demanda tout étonné ce que voulait dire cet horrible spectacle ; personne n'osait l'en instruire, quand l'Ogresse, enragée de voir ce qu'elle voyait, se jeta elle-même la tête la première dans la cuve, et fut dévorée en un instant par les vilaines bêtes qu'elle y avait fait mettre.

1. Halener : flairer (pour un chien de chasse).

Le Roi ne put s'empêcher d'en être fâché, car elle était sa mère ; mais il s'en consola bientôt avec sa belle femme et ses enfants.

MORALITÉ

Attendre quelque temps pour avoir un époux,
Riche, bien fait, galant et doux,
La chose est assez naturelle,
Mais l'attendre cent ans, et toujours en
    dormant,
On ne trouve plus de femelle,
Qui dormît si tranquillement.

AUTRE MORALITÉ

La Fable semble encor vouloir nous faire
    entendre
Que souvent de l'Hymen [1] les agréables nœuds,
Pour être différés, n'en sont pas moins heureux,
Et qu'on ne perd rien pour attendre ;
Mais le sexe [2] avec tant d'ardeur,
Aspire à la foi conjugale,
Que je n'ai pas la force ni le cœur [3],
De lui prêcher cette morale.

---

1. Hymen : mariage. **2.** Sexe : ici, le « beau sexe », c'est-à-dire les femmes.
3. Cœur : courage.

Le Petit Chaperon rouge

Il était une fois une petite fille de Village, la plus jolie qu'on eût su voir ; sa mère en était folle, et sa Mère-grand plus folle encore. Cette bonne femme lui fit faire un petit chaperon rouge, qui lui seyait si bien, que partout on l'appelait le Petit Chaperon rouge.

Un jour, sa mère, ayant cuit et fait des galettes, lui dit :

– Va voir comme se porte ta Mère-grand, car on m'a dit qu'elle était malade. Porte-lui une galette et ce petit pot de beurre.

Le Petit Chaperon rouge partit aussitôt pour aller chez sa Mère-grand, qui demeurait dans un autre Village. En passant dans un bois elle rencontra compère le Loup, qui eut bien envie de la manger ; mais il n'osa, à cause de quelques Bûcherons qui étaient dans la Forêt. Il lui demanda où elle allait ; la pauvre enfant, qui ne savait pas qu'il est dangereux de s'arrêter à écouter un Loup, lui dit :

– Je vais voir ma Mère-grand, et lui porter une galette, avec un petit pot de beurre, que ma Mère lui envoie.

– Demeure-t-elle bien loin ? lui dit le Loup.

– Oh ! oui, dit le Petit Chaperon rouge, c'est par-delà le moulin que vous voyez tout là-bas, à la première maison du Village.

– Eh bien, dit le Loup, je veux l'aller voir aussi ; je m'y en vais par ce chemin-ci, et toi par ce chemin-là, et nous verrons qui plus tôt y sera.

Le Loup se mit à courir de toute sa force par le chemin qui était le plus court, et la petite fille s'en alla par le chemin le plus long, s'amusant à cueillir des noisettes, à courir après des papillons, et à faire des bouquets des petites fleurs qu'elle rencontrait.

Le Loup ne fut pas longtemps à arriver à la maison de la Mère-grand ; il heurte : toc, toc.

– Qui est là ?

– C'est votre fille le Petit Chaperon rouge (dit le Loup, en contrefaisant [1] sa voix) qui vous apporte une galette et un petit pot de beurre que ma Mère vous envoie.

La bonne Mère-grand, qui était dans son lit à cause qu'elle se trouvait un peu mal, lui cria :

– Tire la chevillette, la bobinette cherra [2].

Le Loup tira la chevillette et la porte s'ouvrit. Il se jeta sur la bonne femme, et la dévora en moins de rien ; car il y avait plus de trois jours qu'il

1. Contrefaisant : imitant. 2. Tire la chevillette, la bobinette cherra : une « chevillette » est une petite pièce de métal qui permet de faire tomber la « bobinette », petit loquet qui sert de verrou ; « cherra », du verbe choir au futur, signifie « tombera ».

n'avait mangé. Ensuite il ferma la porte, et s'alla coucher dans le lit de la Mère-grand, en attendant le Petit Chaperon rouge, qui quelque temps après vint heurter à la porte. Toc, toc.

– Qui est là ?

Le Petit Chaperon rouge, qui entendit la grosse voix du Loup, eut peur d'abord, mais croyant que sa Mère-grand était enrhumée, répondit :

– C'est votre fille le Petit Chaperon rouge, qui vous apporte une galette et un petit pot de beurre que ma Mère vous envoie.

Le Loup lui cria en adoucissant un peu sa voix :

– Tire la chevillette, la bobinette cherra.

Le Petit Chaperon rouge tira la chevillette, et la porte s'ouvrit. Le Loup, la voyant entrer, lui dit en se cachant dans le lit sous la couverture :

– Mets la galette et le petit pot de beurre sur la huche [1], et viens te coucher avec moi.

Le Petit Chaperon rouge se déshabille, et va se mettre dans le lit, où elle fut bien étonnée de voir comment sa Mère-grand était faite en son désha-billé. Elle lui dit :

– Ma Mère-grand, que vous avez de grands bras !

– C'est pour mieux t'embrasser, ma fille.

– Ma Mère-grand, que vous avez de grandes jambes !

---

1. Huche : coffre de bois qui sert à conserver le pain.

– C'est pour mieux courir, mon enfant.

– Ma Mère-grand, que vous avez de grandes oreilles !

– C'est pour mieux écouter, mon enfant.

– Ma Mère-grand, que vous avez de grands yeux !

– C'est pour mieux voir, mon enfant.

– Ma Mère-grand, que vous avez de grandes dents !

– C'est pour te manger.

Et en disant ces mots, ce méchant Loup se jeta sur le Petit Chaperon rouge, et la mangea.

MORALITÉ

On voit ici que de jeunes enfants,
Surtout de jeunes filles
Belles, bien faites, et gentilles,
Font très mal d'écouter toute sorte de gens,
Et que ce n'est pas chose étrange,
S'il en est tant que le Loup mange.
Je dis le Loup, car tous les Loups
Ne sont pas de la même sorte ;
Il en est d'une humeur accorte [1],
Sans bruit, sans fiel [2] et sans courroux [3],
Qui privés [4], complaisants et doux,
Suivent les jeunes Demoiselles

1. Accorte : aimable. 2. Sans fiel : sans méchanceté. 3. Sans courroux : sans colère. 4. Privés : apprivoisés, familiers.

Jusque dans les maisons, jusque dans les
    ruelles [1] ;
Mais hélas ! qui ne sait que ces Loups
    doucereux,
De tous les Loups sont les plus dangereux.

---

1. Ruelle : partie de la chambre située entre le lit et le mur et où les femmes de la haute société recevaient.

La Barbe bleue

Il était une fois un homme qui avait de belles maisons à la ville et à la campagne, de la vaisselle d'or et d'argent, des meubles en broderies et des carrosses tout dorés. Mais, par malheur, cet homme avait la barbe bleue : cela le rendait si laid et si terrible, qu'il n'était ni femme ni fille qui ne s'enfuît de devant lui.

Une de ses voisines, dame de qualité [1], avait deux filles parfaitement belles. Il lui en demanda une en mariage, et lui laissa le choix de celle qu'elle voudrait lui donner. Elles n'en voulaient point toutes deux, et se le renvoyaient l'une à l'autre, ne pouvant se résoudre à prendre un homme qui eût la barbe bleue. Ce qui les dégoûtait encore, c'est qu'il avait déjà épousé plusieurs femmes, et qu'on ne savait ce que ces femmes étaient devenues.

La Barbe bleue, pour faire connaissance, les mena, avec leur mère et trois ou quatre de leurs meilleures amies et quelques jeunes gens du voisi-

1. Dame de qualité : dame de la noblesse.

nage, à une de ses maisons de campagne, où on demeura huit jours entiers. Ce n'étaient que promenades, que parties de chasse et de pêche, que danses et festins, que collations[1] : on ne dormait point et on passait toute la nuit à se faire des malices les uns aux autres ; enfin tout alla si bien que la cadette commença à trouver que le maître du logis n'avait plus la barbe si bleue, et que c'était un fort honnête homme[2].

Dès qu'on fut de retour à la ville, le mariage se conclut. Au bout d'un mois, la Barbe bleue dit à sa femme qu'il était obligé de faire un voyage en province, de six semaines au moins, pour une affaire de conséquence[3] ; qu'il la priait de se bien divertir pendant son absence ; qu'elle fît venir ses bonnes amies ; qu'elle les menât à la campagne, si elle voulait ; que partout elle fît bonne chère[4].

– Voilà, dit-il, les clefs des deux grands garde-meubles[5] ; voilà celles de la vaisselle d'or et d'argent, qui ne sert pas tous les jours ; voilà celles de mes coffres-forts où est mon or et mon argent ; celles des cassettes où sont mes pierreries, et voilà le passe-partout de tous les appartements. Pour cette petite clef-ci, c'est la clef du cabinet[6] au bout

1. Collations : grands repas que l'on fait au milieu de l'après-midi ou de la nuit.
2. Honnête homme : homme bien élevé et galant appartenant à la bonne société. 3. Une affaire de conséquence : un affaire importante. 4. Bonne chère : bons repas. 5. Garde-meubles : pièce où l'on rangeait les meubles que l'on changeait selon les saisons. 6. Cabinet : petite pièce retirée de l'appartement.

de la grande galerie de l'appartement bas : ouvrez tout, allez partout ; mais, pour ce petit cabinet, je vous défends d'y entrer, et je vous le défends de telle sorte que s'il vous arrive de l'ouvrir, il n'y a rien que vous ne deviez attendre de ma colère.

Elle promit d'observer exactement tout ce qui lui venait d'être ordonné, et lui, après l'avoir embrassée, il monte dans son carrosse, et part pour son voyage. Les voisines et les bonnes amies n'attendirent pas qu'on les envoyât quérir[1] pour aller chez la jeune mariée, tant elles avaient d'impatience de voir toutes les richesses de sa maison, n'ayant osé y venir pendant que le mari y était, à cause de sa barbe bleue, qui leur faisait peur.

Les voilà aussitôt à parcourir les chambres, les cabinets, les garde-robes[2], toutes plus belles et plus riches les unes que les autres. Elles montèrent ensuite aux garde-meubles, où elles ne pouvaient assez admirer le nombre et la beauté des tapisseries, des lits, des sofas, des cabinets[3], des guéridons, des tables et des miroirs où l'on se voyait depuis les pieds jusqu'à la tête, et dont les bordures, les unes de glace, les autres d'argent et de vermeil doré, étaient les plus belles et les plus magnifiques qu'on eût jamais vues. Elles ne cessaient d'exagérer et d'envier le bonheur de leur

1. Quérir : chercher. 2. Garde-robes : pièces où sont rangés les vêtements. 3. Cabinets : ici, meubles à tiroirs.

amie, qui cependant, ne se divertissait point à voir toutes ces richesses, à cause de l'impatience qu'elle avait d'aller ouvrir le cabinet de l'appartement bas.

Elle fut si pressée de sa curiosité, que sans considérer qu'il était malhonnête [1] de quitter sa compagnie [2], elle y descendit par un petit escalier dérobé, et avec tant de précipitation qu'elle pensa se rompre le cou deux ou trois fois.

Étant arrivée à la porte du cabinet, elle s'y arrêta quelque temps, songeant à la défense que son mari lui avait faite, et considérant qu'il pourrait lui arriver malheur d'avoir été désobéissante ; mais la tentation était si forte qu'elle ne put la surmonter : elle prit donc la petite clef, et ouvrit en tremblant la porte du cabinet.

D'abord elle ne vit rien, parce que les fenêtres étaient fermées. Après quelques moments, elle commença à voir que le plancher était tout couvert de sang caillé, et que dans ce sang, se miraient les corps de plusieurs femmes mortes et attachées le long des murs : c'était toutes les femmes que la Barbe bleue avait épousées, et qu'il avait égorgées l'une après l'autre.

Elle pensa mourir de peur, et la clef du cabinet, qu'elle venait de retirer de la serrure, lui tomba de la main. Après avoir un peu repris ses sens, elle

1. Malhonnête : mal élevé. 2. Sa compagnie : ses invités.

ramassa la clef, referma la porte, et monta à sa chambre pour se remettre un peu ; mais elle n'en pouvait venir à bout, tant elle était émue. Ayant remarqué que la clef du cabinet était tachée de sang, elle l'essuya deux ou trois fois ; mais le sang ne s'en allait point : elle eut beau la laver, et même la frotter avec du sablon et avec du grès, il demeura toujours du sang, car la clef était fée, et il n'y avait pas moyen de la nettoyer tout à fait : quand on ôtait le sang d'un côté, il revenait de l'autre.

La Barbe bleue revint de son voyage dès le soir même, et dit qu'il avait reçu des lettres, dans le chemin, qui lui avaient appris que l'affaire pour laquelle il était parti venait d'être terminée à son avantage. Sa femme fit tout ce qu'elle put pour lui témoigner qu'elle était ravie de son prompt retour.

Le lendemain, il lui redemanda les clefs ; et elle les lui donna, mais d'une main si tremblante, qu'il devina sans peine tout ce qui s'était passé.

— D'où vient, lui dit-il, que la clef du cabinet n'est point avec les autres ?

— Il faut, dit-elle, que je l'aie laissée là-haut sur ma table.

— Ne manquez pas, dit la Barbe bleue, de me la donner tantôt[1].

---

1. Tantôt : bientôt.

Après plusieurs remises [1], il fallut apporter la clef. La Barbe bleue, l'ayant considérée, dit à sa femme :

– Pourquoi y a-t-il du sang sur cette clef ?

– Je n'en sais rien, répondit la pauvre femme, plus pâle que la mort.

– Vous n'en savez rien ! reprit la Barbe bleue ; je le sais bien, moi. Vous avez voulu entrer dans le cabinet ! Eh bien, madame, vous y entrerez et irez prendre votre place auprès des dames que vous y avez vues.

Elle se jeta aux pieds de son mari en pleurant, et en lui demandant pardon, avec toutes les marques d'un vrai repentir, de n'avoir pas été obéissante. Elle aurait attendri un rocher, belle et affligée comme elle était, mais la Barbe bleue avait le cœur plus dur qu'un rocher.

– Il faut mourir, madame, lui dit-il, et tout à l'heure [2].

– Puisqu'il faut mourir, répondit-elle en le regardant les yeux baignés de larmes, donnez-moi un peu de temps pour prier Dieu.

– Je vous donne un demi-quart d'heure, reprit la Barbe bleue ; mais pas un moment davantage.

Lorsqu'elle fut seule, elle appela sa sœur, et lui dit :

1. Remises : sursis, délais. 2. Tout à l'heure : tout de suite.

– Ma sœur Anne, car elle s'appelait ainsi, monte, je te prie, sur le haut de la tour pour voir si mes frères ne viennent point : ils m'ont promis qu'ils me viendraient voir aujourd'hui ; et si tu les vois, fais-leur signe de se hâter.

La sœur Anne monta sur le haut de la tour ; et la pauvre affligée lui criait de temps en temps :

– Anne, ma sœur Anne, ne vois-tu rien venir ?

Et la sœur Anne lui répondait :

– Je ne vois rien que le soleil qui poudroie, et l'herbe qui verdoie.

Cependant, la Barbe bleue, tenant un grand coutelas à sa main, criait de toute sa force à sa femme :

– Descends vite ou je monterai là-haut.

– Encore un moment, s'il vous plaît, lui répondait sa femme.

Et aussitôt elle criait tout bas :

– Anne, ma sœur Anne, ne vois-tu rien venir ?

Et la sœur Anne répondait :

– Je ne vois rien que le soleil qui poudroie, et l'herbe qui verdoie.

– Descends donc vite, criait la Barbe bleue, ou je monterai là-haut.

– Je m'en vais [1], répondait la femme et puis elle criait :

– Anne, ma sœur Anne, ne vois-tu rien venir ?

1. Je m'en vais : je vais venir.

– Je vois, répondit la sœur Anne, une grosse poussière qui vient de ce côté-ci…

– Sont-ce mes frères ?

– Hélas ! non, ma sœur : c'est un troupeau de moutons…

– Ne veux-tu pas descendre ? criait la Barbe bleue.

– Encore un moment, répondait sa femme, et puis elle criait :

– Anne, ma sœur Anne, ne vois-tu rien venir ?

– Je vois, répondit-elle, deux cavaliers qui viennent de ce côté, mais ils sont bien loin encore.

« Dieu soit loué ! s'écria-t-elle un moment après, ce sont mes frères. je leur fais signe tant que je puis de se hâter.

La Barbe bleue se mit à crier si fort que toute la maison en trembla. La pauvre femme descendit, et alla se jeter à ses pieds tout éplurée et tout échevelée.

– Cela ne sert à rien, dit la Barbe bleue ; il faut mourir.

Puis, la prenant d'une main par les cheveux, et de l'autre, levant le coutelas en l'air, il allait lui abattre la tête. La pauvre femme, se tournant vers lui, et le regardant avec des yeux mourants, le pria de lui donner un petit moment pour se recueillir.

– Non, non, dit-il, recommande-toi bien à Dieu, et levant son bras…

Dans ce moment, on heurta si fort à la porte que la Barbe bleue s'arrêta tout court. On l'ouvrit, et aussitôt on vit entrer deux cavaliers, qui mettant l'épée à la main, coururent droit à la Barbe bleue.

Il reconnut que c'étaient les frères de sa femme, l'un dragon [1] et l'autre mousquetaire, de sorte qu'il s'enfuit aussitôt pour se sauver [2] ; mais les deux frères le poursuivirent de si près qu'ils l'attrapèrent avant qu'il pût gagner le perron. Ils lui passèrent leur épée au travers du corps, et le laissèrent mort. La pauvre femme était presque aussi morte que son mari, et n'avait pas la force de se lever pour embrasser ses frères.

Il se trouva que la Barbe bleue n'avait point d'héritiers, et qu'ainsi sa femme demeura maîtresse de tous ses biens. Elle en employa une partie à marier sa sœur Anne avec un jeune gentilhomme dont elle était aimée depuis longtemps ; une autre partie à acheter des charges [3] de capitaines à ses deux frères, et le reste à se marier elle-même à un fort honnête homme, qui lui fit oublier le mauvais temps qu'elle avait passé avec la Barbe bleue.

MORALITÉ
La curiosité, malgré tous ses attraits,
Coûte souvent bien des regrets ;

1. Dragon : soldat de cavalerie. 2. Se sauver : se mettre en sûreté. 3. Charges : emplois que l'on achète pour exercer une fonction et avoir des revenus.

On en voit, tous les jours, mille exemples
   paraître.
C'est, n'en déplaise au sexe [1], un plaisir bien
   léger ;
Dès qu'on le prend, il cesse d'être,
Et toujours il coûte trop cher.

AUTRE MORALITÉ
Pour peu qu'on ait l'esprit sensé
Et que du monde on sache le grimoire,
On voit bientôt que cette histoire
Est un conte du temps passé.
Il n'est plus d'époux si terrible,
Ni qui demande l'impossible,
Fût-il malcontent et jaloux.
Près de sa femme on le voit filer doux ;
Et, de quelque couleur que sa barbe puisse être,
On a peine à juger qui des deux est le maître.

1. Au sexe : aux femmes.

Le Maître chat
ou le Chat botté

Un meunier ne laissa pour tous biens, à trois enfants qu'il avait, que son moulin, son âne et son chat. Les partages furent bientôt faits : ni le notaire, ni le procureur[1] n'y furent point appelés. Ils auraient eu bientôt mangé tout le pauvre patrimoine. L'aîné eut le moulin, le second eut l'âne, et le plus jeune n'eut que le chat. Ce dernier ne pouvait se consoler d'avoir un si pauvre lot :

– Mes frères, disait-il, pourront gagner leur vie honnêtement en se mettant ensemble ; pour moi, lorsque j'aurai mangé mon chat, et que je me serai fait un manchon de sa peau, il faudra que je meure de faim.

Le Chat, qui entendait ce discours, mais qui n'en fit pas semblant[2], lui dit d'un air posé et sérieux :

– Ne vous affligez point, mon maître, vous n'avez qu'à me donner un sac et me faire faire une paire de bottes pour aller dans les broussailles, et vous verrez que vous n'êtes pas si mal partagé[3] que vous croyez.

Quoique le maître du Chat ne fît pas grand fond

1. Procureur : magistrat chargé de veiller à l'intérêt financier du seigneur. 2. Qui n'en fit pas semblant : qui ne le montra pas. 3. Mal partagé : mal loti.

là-dessus [1], il lui avait vu faire tant de tours de souplesse pour prendre des rats et des souris, comme quand il se pendait par les pieds, ou qu'il se cachait dans la farine pour faire le mort, qu'il ne désespéra pas d'en être secouru dans la misère.

Lorsque le Chat eut ce qu'il avait demandé, il se botta bravement, et, mettant son sac à son cou, il en prit les cordons avec ses deux pattes de devant, et s'en alla dans une garenne où il y avait grand nombre de lapins. Il mit du son et des lasserons [2] dans son sac, et s'étendant comme s'il eût été mort, attendit que quelque jeune lapin, peu instruit encore des ruses de ce monde, vînt se fourrer dans son sac pour manger ce qu'il y avait mis. À peine fut-il couché, qu'il eut contentement : un jeune étourdi de lapin entra dans son sac, et le maître Chat, tirant aussitôt les cordons, le prit et le tua sans miséricorde [3].

Tout glorieux de sa proie, il s'en alla chez le roi et demanda à lui parler. On le fit monter à l'appartement de Sa Majesté, où étant entré, il fit une grande révérence au roi, et lui dit :

— Voilà, sire, un lapin de garenne que monsieur le marquis de Carabas (c'était le nom qu'il lui prit en gré de donner à son maître) m'a chargé de vous présenter de sa part.

1. Ne fît pas grand fond là-dessus : n'y comptât pas beaucoup. 2. Lasserons : laitues sauvages. 3. Sans miséricorde : sans pitié.

– Dis à ton maître, répondit le roi, que je le remercie et qu'il me fait plaisir.

Une autre fois, il alla se cacher dans un blé, tenant toujours son sac ouvert, et lorsque deux perdrix y furent entrées, il tira les cordons et les prit toutes deux. Il alla ensuite les présenter au roi, comme il avait fait du lapin de garenne. Le roi reçut encore avec plaisir les deux perdrix, et lui fit donner pour boire [1].

Le Chat continua ainsi, pendant deux ou trois mois, à porter de temps en temps au roi du gibier de la chasse de son maître. Un jour qu'il sut que le roi devait aller à la promenade, sur le bord de la rivière, avec sa fille, la plus belle princesse du monde, il dit à son maître :

– Si vous voulez suivre mon conseil, votre fortune est faite : vous n'avez qu'à vous baigner dans la rivière, à l'endroit que je vous montrerai, et ensuite me laisser faire.

Le marquis de Carabas fit ce que son chat lui conseillait, sans savoir à quoi cela serait bon. Dans le temps qu'il se baignait, le roi vint à passer, et le Chat se mit à crier de toutes ses forces :

– Au secours ! Au secours ! Voilà monsieur le marquis de Carabas qui se noie !

À ce cri, le roi mit la tête à la portière, et, recon-

1. Pour boire : un pourboire.

naissant le Chat qui lui avait apporté tant de fois du gibier, il ordonna à ses gardes qu'on allât vite au secours de monsieur le marquis de Carabas.

Pendant qu'on retirait le pauvre marquis de la rivière, le Chat s'approcha du carrosse et dit au roi que, dans le temps que son maître se baignait, il était venu des voleurs qui avaient emporté ses habits, quoiqu'il eût crié au voleur ! de toute ses forces ; le drôle les avait cachés sous une grosse pierre.

Le roi ordonna aussitôt aux officiers de sa garde-robe d'aller quérir [1] un de ses plus beaux habits pour monsieur le marquis de Carabas. Le roi lui fit mille caresses [2], et comme les beaux habits qu'on venait de lui donner relevaient sa bonne mine [3] (car il était beau et bien fait de sa personne), la fille du roi le trouva fort à son gré, et le marquis de Carabas ne lui eut pas jeté deux ou trois regards, fort respectueux et un peu tendres, qu'elle en devint amoureuse à la folie.

Le roi voulut qu'il montât dans son carrosse et qu'il fût de la promenade. Le Chat, ravi de voir que son dessein [4] commençait à réussir, prit les devants, et ayant rencontré des paysans qui fauchaient un pré, il leur dit :

— Bonnes gens qui fauchez, si vous ne dites au roi que le pré que vous fauchez appartient à monsieur

---

1. Quérir : chercher. 2. Caresses : témoignages d'affection. 3. Relevaient sa bonne mine : le faisaient paraître plus beau. 4. Dessein : projet.

le marquis de Carabas, vous serez tous hachés menu comme chair à pâté.

Le roi ne manqua pas à demander aux faucheux [1] à qui était ce pré qu'ils fauchaient.

– C'est à monsieur le marquis de Carabas, dirent-ils tous ensemble, car la menace du Chat leur avait fait peur.

– Vous avez là un bel héritage [2], dit le roi au marquis de Carabas.

– Vous voyez, sire, répondit le marquis, c'est un pré qui ne manque point de rapporter abondamment toutes les années.

Le maître Chat, qui allait toujours devant, rencontra des moissonneurs et leur dit :

– Bonnes gens qui moissonnez, si vous ne dites que tous ces blés appartiennent à monsieur le marquis de Carabas, vous serez tous hachés menu comme chair à pâté.

Le roi, qui passa un moment après, voulut savoir à qui appartenaient tous les blés qu'il voyait.

– C'est à monsieur le marquis de Carabas, répondirent les moissonneurs ; et le roi s'en réjouit encore avec le marquis. Le Chat, qui allait devant le carrosse, disait toujours la même chose à tous ceux qu'il rencontrait, et le roi était étonné des grands biens de monsieur le marquis de Carabas.

1. Faucheux : faucheurs. 2. Héritage : domaine.

Le maître Chat arriva enfin dans un beau château, dont le maître était un ogre, le plus riche qu'on ait jamais vu ; car toutes les terres par où le roi avait passé étaient de la dépendance de ce château.

Le Chat, qui eut soin de s'informer qui était cet ogre et ce qu'il savait faire, demanda à lui parler, disant qu'il n'avait pas voulu passer si près de son château sans avoir l'honneur de lui faire la révérence. L'ogre le reçut aussi civilement [1] que le peut un ogre et le fit reposer.

– On m'a assuré, dit le Chat, que vous aviez le don de vous changer en toutes sortes d'animaux ; que vous pouviez, par exemple, vous transformer en lion, en éléphant.

– Cela est vrai, répondit l'ogre brusquement, et, pour vous le montrer, vous m'allez voir devenir lion.

Le Chat fut si effrayé de voir un lion devant lui, qu'il gagna aussitôt les gouttières, non sans peine et sans péril, à cause de ses bottes, qui ne valaient rien pour marcher sur les tuiles.

Quelque temps après, le Chat, ayant vu que l'ogre avait quitté sa première forme, descendit et avoua qu'il avait eu bien peur.

– On m'a assuré encore, dit le Chat, mais je ne saurais le croire, que vous aviez aussi le pouvoir de

1. Civilement : poliment.

prendre la forme des plus petits animaux, par exemple de vous changer en un rat, en une souris ; je vous avoue que je tiens cela tout à fait impossible.

– Impossible ! reprit l'ogre ; vous allez voir.

Et en même temps il se changea en une souris, qui se mit à courir sur le plancher. Le Chat ne l'eut pas plus tôt aperçue, qu'il se jeta dessus et la mangea.

Cependant le roi, qui vit en passant le beau château de l'ogre, voulut entrer dedans.

Le Chat, qui entendit le bruit du carrosse qui passait sur le pont-levis, courut au-devant et dit au roi :

– Votre Majesté soit la bienvenue dans ce château de monsieur le marquis de Carabas !

– Comment, monsieur le marquis, s'écria le roi, ce château est encore à vous ! Il ne se peut rien de plus beau que cette cour et que tous ces bâtiments qui l'environnent ; voyons les dedans, s'il vous plaît.

Le marquis donna la main à la jeune princesse, et suivant le roi, qui montait le premier, ils entrèrent dans une grande salle, où ils trouvèrent une magnifique collation [1] que l'ogre avait fait préparer pour ses amis, qui le devaient venir voir ce même jourlà, mais qui n'avaient pas osé entrer, sachant que le roi y était.

Le roi, charmé des bonnes qualités de monsieur

---

1. Collation : grand repas que l'on fait au milieu de l'après-midi ou de la nuit.

le marquis de Carabas, de même que sa fille, qui en était folle, et voyant les grands biens qu'il possédait, lui dit, après avoir bu cinq ou six coups :

— Il ne tiendra qu'à vous, monsieur le marquis, que vous ne soyez mon gendre.

Le marquis, faisant de grandes révérences, accepta l'honneur que lui faisait le roi, et, dès le même jour, il épousa la princesse. Le Chat devint le grand seigneur, et ne courut plus après les souris que pour se divertir.

MORALITÉ
Quelque grand que soit l'avantage
De jouir d'un riche héritage
Venant à nous de père en fils,
Aux jeunes gens, pour l'ordinaire[1],
L'industrie[2] et le savoir-faire
Valent mieux que des biens acquis.

AUTRE MORALITÉ
Si le fils d'un meunier, avec tant de vitesse,
Gagne le cœur d'une princesse,
Et s'en fait regarder avec des yeux mourants,
C'est que l'habit, la mine et la jeunesse,
Pour inspirer de la tendresse,
N'en sont pas des moyens toujours indifférents.

---

1. Pour l'ordinaire : dans la vie courante. 2. Industrie : habileté, intelligence.

Les Fées

Il était une fois une veuve qui avait deux filles ; l'aînée lui ressemblait si fort et d'humeur [1] et de visage, que qui la voyait voyait la mère. Elles étaient toutes deux si désagréables et si orgueilleuses qu'on ne pouvait vivre avec elles. La cadette, qui était le vrai portrait de son père pour la douceur et pour l'honnêteté [2], était avec cela une des plus belles filles qu'on eût su voir. Comme on aime naturellement son semblable, cette mère était folle de sa fille aînée, et en même temps avait une aversion effroyable pour la cadette. Elle la faisait manger à la cuisine et travailler sans cesse.

Il fallait entre autres choses que cette pauvre enfant allât deux fois le jour puiser de l'eau à une grande demi-lieue [3] du logis, et qu'elle en rapportât plein une grande cruche. Un jour qu'elle était à cette fontaine, il vint à elle une pauvre femme qui la pria de lui donner à boire.

– Oui-da, ma bonne mère, dit cette belle fille ; et rinçant aussitôt sa cruche, elle puisa de l'eau au

1. Humeur : caractère. 2. Honnêteté : politesse, bonne éducation. 3. Une demi-lieue : environ deux kilomètres.

plus bel endroit de la fontaine, et la lui présenta, soutenant toujours la cruche afin qu'elle bût plus aisément. La bonne femme, ayant bu, lui dit :

– Vous êtes si belle, si bonne, et si honnête, que je ne puis m'empêcher de vous faire un don (car c'était une Fée qui avait pris la forme d'une pauvre femme de village, pour voir jusqu'où irait l'honnêteté de cette jeune fille). Je vous donne pour don, poursuivit la Fée, qu'à chaque parole que vous direz, il vous sortira de la bouche ou une Fleur, ou une Pierre précieuse.

Lorsque cette belle fille arriva au logis, sa mère la gronda de revenir si tard de la fontaine.

– Je vous demande pardon, ma mère, dit cette pauvre fille, d'avoir tardé si longtemps ; et en disant ces mots, il lui sortit de la bouche deux Roses, deux Perles, et deux gros Diamants.

– Que vois-je ? dit sa mère tout étonnée ; je crois qu'il lui sort de la bouche des Perles et des Diamants ; d'où vient cela, ma fille ? (Ce fut là la première fois qu'elle l'appela sa fille.) La pauvre enfant lui raconta naïvement tout ce qui lui était arrivé, non sans jeter une infinité de Diamants.

– Vraiment, dit la mère, il faut que j'y envoie ma fille ; tenez, Fanchon, voyez ce qui sort de la bouche de votre sœur quand elle parle ; ne seriez-vous pas bien aise [1] d'avoir le même don ? Vous n'avez qu'à

1. Bien aise : contente.

aller puiser de l'eau à la fontaine, et quand une pauvre femme vous demandera à boire, lui en donner bien honnêtement[1].

– Il me ferait beau voir[2], répondit la brutale[3], aller à la fontaine.

– Je veux que vous y alliez, reprit la mère, et tout à l'heure[4].

Elle y alla, mais toujours en grondant. Elle prit le plus beau Flacon d'argent qui fût dans le logis. Elle ne fut pas plus tôt arrivée à la fontaine qu'elle vit sortir du bois une Dame magnifiquement vêtue qui vint lui demander à boire : c'était la même Fée qui avait apparu à sa sœur mais qui avait pris l'air et les habits d'une Princesse, pour voir jusqu'où irait la malhonnêteté de cette fille.

– Est-ce que je suis ici venue, lui dit cette brutale orgueilleuse, pour vous donner à boire ? Justement j'ai apporté un Flacon d'argent tout exprès pour donner à boire à Madame ! J'en suis d'avis, buvez à même[5] si vous voulez.

– Vous n'êtes guère honnête, reprit la Fée, sans se mettre en colère ; hé bien ! puisque vous êtes si peu obligeante, je vous donne pour don qu'à chaque parole que vous direz, il vous sortira de la bouche ou un serpent ou un crapaud.

1. Honnêtement : poliment. 2. Il me ferait beau voir : il ne manquerait plus que ça. 3. Brutale : rustre, grossière. 4. Tout à l'heure : tout de suite. 5. J'en suis d'avis, buvez à même : un bon conseil, buvez directement, débrouillez-vous toute seule.

D'abord que [1] sa mère l'aperçut, elle lui cria :

– Hé bien, ma fille !

– Hé bien, ma mère ! lui répondit la brutale, en jetant deux vipères, et deux crapauds.

– Ô Ciel ! s'écria la mère, que vois-je là ? C'est sa sœur qui en est cause, elle me le payera ; et aussitôt elle courut pour la battre. La pauvre enfant s'enfuit, et alla se sauver [2] dans la Forêt prochaine [3].

Le fils du Roi qui revenait de la chasse la rencontra et la voyant si belle, lui demanda ce qu'elle faisait là toute seule et ce qu'elle avait à pleurer.

– Hélas ! Monsieur, c'est ma mère qui m'a chassée du logis.

Le fils du Roi, qui vit sortir de sa bouche cinq ou six Perles, et autant de Diamants, la pria de lui dire d'où cela lui venait. Elle lui conta toute son aventure. Le fils du Roi en devint amoureux, et considérant qu'un tel don valait mieux que tout ce qu'on pouvait donner en mariage à une autre, l'emmena au Palais du Roi son père où il l'épousa. Pour sa sœur elle se fit tant haïr que sa propre mère la chassa de chez elle ; et la malheureuse, après avoir bien couru sans trouver personne qui voulût la recevoir, alla mourir au coin d'un bois.

---

1. D'abord que : dès que. 2. Se sauver : se réfugier. 3. Prochaine : proche.

MORALITÉ

Les Diamants et les Pistoles[1]
Peuvent beaucoup sur les Esprits ;
Cependant les douces paroles
Ont encore plus de force, et sont d'un plus
   grand prix.

AUTRE MORALITÉ

L'honnêteté coûte des soins[2],
Elle veut un peu de complaisance[3],
Mais tôt ou tard elle a sa récompense,
Et souvent dans le temps qu'on y pense le
   moins.

---

1. Pistoles : monnaie d'or battue en Espagne et en Italie. 2. Coûte des soins :
demande des efforts. 3. Complaisance : gentillesse.

Cendrillon ou la petite pantoufle de verre

Il était une fois un gentilhomme qui épousa, en secondes noces, une femme, la plus hautaine et la plus fière qu'on eût jamais vue.

Elle avait deux filles de son humeur [1], et qui lui ressemblaient en toutes choses.

Le mari avait, de son côté, une jeune fille, mais d'une douceur et d'une bonté sans exemple : elle tenait cela de sa mère, qui était la meilleure personne du monde.

Les noces ne furent pas plus tôt faites que la belle-mère fit éclater sa mauvaise humeur : elle ne put souffrir les bonnes qualités de cette jeune enfant, qui rendaient ses filles encore plus haïssables. Elle la chargea des plus viles occupations de la maison : c'était elle qui nettoyait la vaisselle et les montées [2], qui frottait la chambre de madame et celles de mesdemoiselles ses filles ; elle couchait tout au haut de la maison, dans un grenier, sur une méchante [3] paillasse, pendant que ses sœurs étaient

1. De son humeur : ayant le même caractère. 2. Montées : petits escaliers.
3. Méchante : pauvre, misérable.

dans des chambres parquetées, où elles avaient des lits des plus à la mode, et des miroirs où elles se voyaient depuis les pieds jusqu'à la tête.

La pauvre fille souffrait [1] tout avec patience et n'osait s'en plaindre à son père, qui l'aurait grondée, parce que sa femme le gouvernait entièrement. Lorsqu'elle avait fait son ouvrage, elle s'allait mettre au coin de la cheminée, et s'asseoir dans les cendres, ce qui faisait qu'on l'appelait communément dans le logis Cucendron. La cadette, qui n'était pas si malhonnête [2] que son aînée, l'appelait Cendrillon.

Cependant Cendrillon, avec ses méchants habits, ne laissait pas [3] d'être cent fois plus belle que ses sœurs, quoique vêtues très magnifiquement.

Il arriva que le fils du roi donna un bal et qu'il en pria toutes les personnes de qualité. Nos deux demoiselles en furent aussi priées, car elles faisaient grande figure dans le pays.

Les voilà bien aises et bien occupées à choisir les habits et les coiffures qui leur siéraient le mieux. Nouvelle peine pour Cendrillon, car c'était elle qui repassait le linge de ses sœurs et qui godronnait leurs manchettes [4]. On ne parlait que de la manière dont on s'habillerait.

---

1. Souffrait : supportait. **2.** Malhonnête : grossière. **3.** Ne laissait pas : ne cessait pas. **4.** godronnait leurs manchettes : empesait et plissait la dentelle au bas des manches.

– Moi, dit l'aînée, je mettrai mon habit de velours rouge et ma garniture [1] d'Angleterre.

– Moi, dit la cadette, je n'aurai que ma jupe ordinaire ; mais, en récompense [2], je mettrai mon manteau à fleurs d'or et ma barrière [3] de diamants, qui n'est pas des plus indifférentes [4].

On envoya quérir la bonne coiffeuse pour dresser les cornettes [5] à deux rangs, et on fit acheter des mouches [6] de la bonne faiseuse [7]. Elles appelèrent Cendrillon pour lui demander son avis, car elle avait le goût bon. Cendrillon les conseilla le mieux du monde, et s'offrit même à les coiffer ; ce qu'elles voulurent bien. En les coiffant, elles lui disaient :

– Cendrillon, serais-tu bien aise d'aller au bal ?

– Hélas, mesdemoiselles, vous vous moquez de moi : ce n'est pas là ce qu'il me faut.

– Tu as raison, on rirait bien, si on voyait un Cucendron aller au bal.

Une autre que Cendrillon les aurait coiffées de travers ; mais elle était bonne, et elle les coiffa parfaitement bien. Elles furent près de deux jours sans manger, tant elles étaient transportées de joie. On rompit plus de douze lacets, à force de les serrer

1. Garniture : dentelles et rubans. 2. En récompense : en revanche. 3. Barrière : barrette. 4. Qui n'est pas des plus indifférentes : qui est magnifique. 5. Cornettes : coiffes, de toile ou de dentelles, en hauteur. 6. Mouches : faux grains de beauté en taffetas noir que les femmes collaient sur leur visage, pour faire ressortir la blancheur de leur teint. 7. Bonne faiseuse : artisane à la mode.

pour leur rendre la taille plus menue, et elles étaient toujours devant le miroir.

Enfin l'heureux jour arriva ; on partit, et Cendrillon les suivit des yeux le plus longtemps qu'elle put. Lorsqu'elle ne les vit plus, elle se mit à pleurer. Sa marraine, qui la vit tout en pleurs, lui demanda ce qu'elle avait.

– Je voudrais bien… je voudrais bien…

Elle pleurait si fort qu'elle ne put achever. Sa marraine, qui était fée, lui dit :

– Tu voudrais bien aller au bal, n'est-ce pas ?

– Hélas ! oui, dit Cendrillon en soupirant.

– Eh bien, seras-tu bonne fille ? dit sa marraine, je t'y ferai aller.

Elle la mena dans sa chambre, et lui dit :

– Va dans le jardin, et apporte-moi une citrouille.

Cendrillon alla aussitôt cueillir la plus belle qu'elle put trouver, et la porta à sa marraine, ne pouvant deviner comment cette citrouille la pourrait faire aller au bal. Sa marraine la creusa et, n'ayant laissé que l'écorce, la frappa de sa baguette, et la citrouille fut aussitôt changée en un beau carrosse tout doré. Ensuite elle alla regarder dans la souricière, où elle trouva six souris toutes en vie. Elle dit à Cendrillon de lever un peu la trappe de la souricière, et à chaque souris qui sortait, elle lui donnait un coup de sa baguette, et la souris était aussitôt changée en un beau cheval : ce qui fit un bel attelage de six chevaux, d'un beau gris de souris pommelé. Comme elle était en peine de quoi elle ferait un cocher :

– Je vais voir, dit Cendrillon, s'il n'y a pas quelque rat dans la ratière, nous en ferons un cocher.

– Tu as raison, dit sa marraine, va voir.

Cendrillon lui apporta la ratière, où il y avait trois gros rats. La fée en prit un d'entre les trois, à cause de sa maîtresse barbe[1], et, l'ayant touché, il fut changé en un gros cocher, qui avait une des plus belles moustaches qu'on ait jamais vues. Ensuite elle lui dit :

– Va dans le jardin, tu y trouveras six lézards derrière l'arrosoir : apporte-les-moi.

Elle ne les eut pas plus tôt apportés que sa marraine les changea en six laquais, qui montèrent aussitôt derrière le carrosse, avec leurs habits chamarrés[2], et qui s'y tenaient attachés comme s'ils n'eussent fait autre chose de toute leur vie.

La fée dit alors à Cendrillon :

– Eh bien, voilà de quoi aller au bal : n'es-tu pas bien aise ?

– Oui, mais est-ce que j'irai comme cela, avec mes vilains habits ?

Sa marraine ne fit que la toucher avec sa baguette, et en même temps ses habits furent chan-

---

1. Maîtresse barbe : grosse barbe. 2. Chamarrés : aux couleurs éclatantes.

gés en des habits d'or et d'argent, tout chamarrés de pierreries ; elle lui donna ensuite une paire de pantoufles de verre, les plus jolies du monde.

Quand elle fut ainsi parée, elle monta en carrosse ; mais sa marraine lui recommanda, sur toutes choses[1], de ne pas passer minuit, l'avertissant que, si elle demeurait au bal un moment davantage, son carrosse redeviendrait citrouille, ses chevaux des souris, ses laquais des lézards, et que ses beaux habits reprendraient leur première forme.

Elle promit à sa marraine qu'elle ne manquerait pas de sortir du bal avant minuit. Elle part, ne se sentant pas de joie. Le fils du roi, qu'on alla avertir qu'il venait d'arriver une grande princesse qu'on ne connaissait point, courut la recevoir. Il lui donna la main à la descente du carrosse, et la mena dans la salle où était la compagnie. Il se fit alors un grand silence ; on cessa de danser, et les violons ne jouèrent plus, tant on était attentif à contempler les grandes beautés de cette inconnue. On n'entendait qu'un bruit confus :

– Ah ! qu'elle est belle !

Le roi même, tout vieux qu'il était, ne laissait pas de la regarder, et de dire tout bas à la reine qu'il y avait longtemps qu'il n'avait vu une si belle et si aimable personne.

---

1. Sur toutes choses : par-dessus tout.

Toutes les dames étaient attentives à considérer sa coiffure et ses habits, pour en avoir, dès le lendemain, de semblables, pourvu qu'il se trouvât des étoffes assez belles, et des ouvriers assez habiles.

Le fils du roi la mit à la place la plus honorable, et ensuite la prit pour la mener danser. Elle dansa avec tant de grâce, qu'on l'admira encore davantage. On apporta une fort belle collation[1], dont le jeune prince ne mangea point, tant il était occupé à la considérer. Elle alla s'asseoir auprès de ses sœurs et leur fit mille honnêtetés[2] ; elle leur fit part[3] des oranges et des citrons que le prince lui avait donnés, ce qui les étonna fort, car elles ne la connaissaient point.

Lorsqu'elles causaient ainsi, Cendrillon entendit sonner onze heures trois quarts ; elle fit aussitôt une grande révérence à la compagnie, et s'en alla le plus vite qu'elle put.

Dès qu'elle fut arrivée, elle alla trouver sa marraine, et, après l'avoir remerciée, elle lui dit qu'elle souhaiterait bien aller encore le lendemain au bal, parce que le fils du roi l'en avait priée.

Comme elle était occupée à raconter à sa marraine tout ce qui s'était passé au bal, les deux sœurs heurtèrent à la porte ; Cendrillon leur alla ouvrir.

– Que vous êtes longtemps à revenir ! leur dit-

1. Collation : grand repas que l'on fait au milieu de l'après-midi ou de la nuit.
2. Honnêtetés : politesses. 3. Leur fit part : partagea avec elles.

elle en bâillant, en se frottant les yeux, et en s'étendant comme si elle n'eût fait que de se réveiller.

Elle n'avait cependant pas eu envie de dormir, depuis qu'elles s'étaient quittées.

– Si tu étais venue au bal, lui dit une de ses sœurs, tu ne t'y serais pas ennuyée : il y est venu la plus belle princesse, la plus belle qu'on puisse jamais voir ; elle nous a fait mille civilités[1], elle nous a donné des oranges et des citrons.

Cendrillon ne se sentait pas de joie : elle leur demanda le nom de cette princesse ; mais elles lui répondirent qu'on ne la connaissait pas, que le fils du roi en était fort en peine, et qu'il donnerait toutes choses au monde pour savoir qui elle était. Cendrillon sourit et leur dit :

– Elle était donc bien belle ? Mon Dieu, que vous êtes heureuses ! Ne pourrais-je point la voir ? Hélas ! mademoiselle Javotte, prêtez-moi votre habit jaune que vous mettez tous les jours.

– Vraiment, dit mademoiselle Javotte, je suis de cet avis[2] ! Prêter son habit à un vilain Cucendron comme cela : il faudrait que je fusse bien folle.

Cendrillon s'attendait bien à ce refus, et elle en fut bien aise, car elle aurait été grandement embarrassée, si sa sœur eût bien voulu lui prêter son habit.

1. Civilités : gestes et paroles de politesse. 2. Je suis de cet avis (ironique) : vous n'y songez pas !

Le lendemain, les deux sœurs furent au bal, et Cendrillon aussi, mais encore plus parée[1] que la première fois. Le fils du roi fut toujours auprès d'elle, et ne cessa de lui conter des douceurs. La jeune demoiselle ne s'ennuyait point et oublia ce que sa marraine lui avait recommandé ; de sorte qu'elle entendit sonner le premier coup de minuit, lorsqu'elle ne croyait point qu'il fût encore onze heures : elle se leva, et s'enfuit aussi légèrement qu'aurait fait une biche.

Le prince la suivit, mais il ne put l'attraper. Elle laissa tomber une de ses pantoufles de verre, que le prince ramassa bien soigneusement.

Cendrillon arriva chez elle, bien essoufflée, sans carrosse, sans laquais, et avec ses méchants habits ; rien ne lui étant resté de sa magnificence qu'une de ses petites pantoufles, la pareille de celle qu'elle avait laissée tomber.

On demanda aux gardes de la porte du palais s'ils n'avaient point vu sortir une princesse ; ils dirent qu'ils n'avaient vu sortir personne qu'une jeune fille fort mal vêtue, et qui avait plus l'air d'une paysanne que d'une demoiselle.

Quand les deux sœurs revinrent du bal, Cendrillon leur demanda si elles s'étaient encore bien diverties[2], et si la belle dame y avait été ; elles lui dirent que oui, mais qu'elle s'était enfuie, lorsque

1. Plus parée : mieux vêtue. 2. Diverties : amusées.

minuit avait sonné, et si promptement qu'elle avait laissé tomber une de ses petites pantoufles de verre, la plus jolie du monde ; que le fils du roi l'avait ramassée, et qu'il n'avait fait que la regarder pendant tout le reste du bal, et qu'assurément il était fort amoureux de la belle personne à qui appartenait la petite pantoufle.

Elles dirent vrai ; car, peu de jours après, le fils du roi fit publier, à son de trompe[1], qu'il épouserait celle dont le pied serait bien juste à la pantoufle.

On commença à l'essayer aux princesses, ensuite aux duchesses et à toute la cour, mais inutilement. On l'apporta chez les deux sœurs, qui firent tout leur possible pour faire entrer leur pied dans la pantoufle mais elles ne purent en venir à bout. Cendrillon, qui les regardait, et qui reconnut sa pantoufle, dit en riant :

– Que je voie si elle ne me serait pas bonne[2].

Ses sœurs se mirent à rire et à se moquer d'elle. Le gentilhomme[3] qui faisait l'essai de la pantoufle, ayant regardé attentivement Cendrillon, et la trouvant fort belle, dit que cela était très juste, et qu'il avait ordre de l'essayer à toutes les filles.

Il fit asseoir Cendrillon, et approchant la pantoufle de son petit pied, il vit qu'il y entrait sans

---

1. Publier, à son de trompe : proclamer à grand fracas. 2. Si elle ne me serait pas bonne : si elle ne m'irait pas. 3. Gentilhomme : homme distingué, qui montre de la noblesse et de la générosité.

peine, et qu'elle y était juste comme de cire[1].
L'étonnement des deux sœurs fut grand, mais plus
grand encore quand Cendrillon tira de sa poche
l'autre petite pantoufle qu'elle mit à son pied. Là-
dessus arriva la marraine, qui ayant donné un coup
de baguette sur les habits de Cendrillon, les fit devenir encore plus magnifiques que tous les autres.

Alors ses deux sœurs la reconnurent pour la belle
personne qu'elles avaient vue au bal. Elles se jetèrent
à ses pieds pour lui demander pardon de tous les
mauvais traitements qu'elles lui avaient fait souffrir.

Cendrillon les releva et leur dit, en les embrassant, qu'elle leur pardonnait de bon cœur, et qu'elle
les priait de l'aimer bien toujours. On la mena chez
le jeune prince, parée comme elle était. Il la trouva
encore plus belle que jamais ; et, peu de jours après,
il l'épousa.

Cendrillon, qui était aussi bonne que belle, fit
loger ses deux sœurs au palais, et les maria, dès le
jour même, à deux grands seigneurs de la cour.

MORALITÉ
La beauté, pour le sexe[2], est un rare trésor.
De l'admirer jamais on ne se lasse ;
Mais ce qu'on nomme bonne grâce
Est sans prix, et vaut mieux encore.

---

1. Elle y était juste comme de cire : elle lui allait parfaitement, comme si elle avait
été moulée sur son pied. 2. Sexe : ici, le « beau sexe », c'est-à-dire les femmes.

C'est ce qu'à Cendrillon fit avoir sa marraine,
En la dressant[1], en l'instruisant,
Tant et si bien qu'elle en fit une reine :
(Car ainsi sur ce conte on va moralisant.)
Belles, ce don vaut mieux que d'être bien
   coiffées :
Pour engager un cœur, pour en venir à bout,
La bonne grâce est le vrai don des fées ;
Sans elle on ne peut rien, avec elle on peut tout.

AUTRE MORALITÉ
C'est sans doute un grand avantage,
D'avoir de l'esprit, du courage,
De la naissance, du bon sens,
Et d'autres semblables talents
Qu'on reçoit du Ciel en partage ;
Mais vous aurez beau les avoir,
Pour votre avancement[2] ce seront choses
   vaines,
Si vous n'avez, pour les faire valoir,
Ou des parrains, ou des marraines.

---

1. Dressant : élevant. 2. Avancement : réussite.

Riquet à la houppe

Il était une fois une Reine qui accoucha d'un fils, si laid et si mal fait, qu'on douta longtemps s'il avait forme humaine. Une fée qui se trouva à sa naissance assura qu'il ne laisserait pas d'être aimable[1], parce qu'il aurait beaucoup d'esprit ; elle ajouta même qu'il pourrait, en vertu du don qu'elle venait de lui faire, donner autant d'esprit qu'il en aurait à celle qu'il aimerait le mieux.

Tout cela consola un peu la pauvre Reine, qui était bien affligée d'avoir mis au monde un si vilain marmot. Il est vrai que cet enfant ne commença pas plus tôt à parler qu'il dit mille jolies choses, et qu'il avait dans toutes ses actions je ne sais quoi de si spirituel[2], qu'on en était charmé. J'oubliais de dire qu'il vint au monde avec une petite houppe de cheveux sur la tête, ce qui fit qu'on le nomma Riquet à la houppe, car Riquet était le nom de la famille. Au bout de sept ou huit ans la Reine d'un royaume voisin accoucha de deux filles. La première qui vint au monde était plus

---

1. Qu'il ne laisserait pas d'être aimable : qu'il serait toujours digne d'être aimé.
2. Spirituel : qui manifeste de l'esprit, de la finesse.

belle que le jour : la Reine en fut si aise[1], qu'on appréhenda que la trop grande joie qu'elle en avait ne lui fît mal. La même fée qui avait assisté à la naissance du petit Riquet à la houppe était présente, et pour modérer la joie de la Reine, elle lui déclara que cette petite Princesse n'aurait point d'esprit, et qu'elle serait aussi stupide qu'elle était belle. Cela mortifia[2] beaucoup la Reine ; mais elle eut quelques moments après un bien plus grand chagrin, car la seconde fille dont elle accoucha se trouva extrêmement laide.

– Ne vous affligez point tant, Madame, lui dit la fée ; votre fille sera récompensée d'ailleurs[3], et elle aura tant d'esprit, qu'on ne s'apercevra presque pas qu'il lui manque de la beauté.

– Dieu le veuille, répondit la Reine, mais n'y aurait-il point moyen de faire avoir un peu d'esprit à l'aînée qui est si belle ?

– Je ne puis rien pour elle, Madame, du côté de l'esprit, lui dit la fée, mais je puis tout du côté de la beauté ; et comme il n'y a rien que je ne veuille faire pour votre satisfaction, je vais lui donner pour don de pouvoir rendre beau qui lui plaira.

À mesure que ces deux Princesses devinrent grandes, leurs perfections crûrent aussi avec elles, et on ne parlait partout que de la beauté de l'aînée, et

---

1. En fut si aise : en fut si contente. 2. Mortifia : fit souffrir. 3. D'ailleurs : autrement.

de l'esprit de la cadette. Il est vrai aussi que leurs défauts augmentèrent beaucoup avec l'âge. La cadette enlaidissait à vue d'œil, et l'aînée devenait plus stupide de jour en jour. Ou elle ne répondait rien à ce qu'on lui demandait, ou elle disait une sottise. Elle était avec cela si maladroite qu'elle n'eût pu ranger quatre porcelaines sur le bord d'une cheminée sans en casser une, ni boire un verre d'eau sans en répandre la moitié sur ses habits.

Quoique la beauté soit un grand avantage chez une jeune femme, cependant la cadette l'emportait presque toujours sur son aînée dans toutes les compagnies[1]. D'abord on allait du côté de la plus belle pour la voir et pour l'admirer, mais bientôt après, on allait à celle qui avait le plus d'esprit, pour lui entendre dire mille choses agréables, et on était étonné qu'en moins d'un quart d'heure l'aînée n'avait plus personne auprès d'elle, et que tout le monde s'était rangé autour de la cadette. L'aînée, quoique fort stupide, le remarqua bien, et elle eût donné sans regret toute sa beauté pour avoir la moitié de l'esprit de sa sœur. La Reine, toute sage qu'elle était, ne put s'empêcher de lui reprocher plusieurs fois sa bêtise, ce qui pensa faire mourir de douleur cette pauvre Princesse.

Un jour qu'elle s'était retirée dans un bois pour

1. Les compagnies : les assemblées.

y plaindre son malheur, elle vit venir à elle un petit homme fort laid et fort désagréable, mais vêtu très magnifiquement. C'était le jeune Prince Riquet à la houppe, qui étant devenu amoureux d'elle d'après ses portraits qui circulaient par tout le monde, avait quitté le royaume de son père pour avoir le plaisir de la voir et de lui parler.

Ravi de la rencontrer ainsi toute seule, il l'aborde avec tout le respect et toute la politesse imaginables. Ayant remarqué, après lui avoir fait les compliments ordinaires, qu'elle était fort mélancolique, il lui dit :

— Je ne comprends point, Madame, comment une personne aussi belle que vous l'êtes peut être aussi triste que vous le paraissez ; car, quoique je puisse me vanter d'avoir vu une infinité de belles dames, je puis dire que je n'en ai jamais vu dont la beauté approche de la vôtre.

— Cela vous plaît à dire, Monsieur, lui répondit la Princesse, et en demeure là.

— La beauté, reprit Riquet à la houppe, est un si grand avantage qu'il doit tenir lieu de tout le reste ; et quand on le possède, je ne vois pas qu'il y ait rien qui puisse nous affliger beaucoup[1].

— J'aimerais mieux, dit la Princesse, être aussi laide que vous et avoir de l'esprit, que d'avoir de la

1. Je ne vois pas qu'il y ait rien qui puisse nous affliger beaucoup : rien ne peut nous peiner.

beauté comme j'en ai, et être bête autant que je le suis.

– Il n'y a rien, Madame, qui marque davantage qu'on a de l'esprit, que de croire n'en pas avoir[1], et il est de la nature de ce bien-là, que plus on en a, plus on croit en manquer.

– Je ne sais pas cela, dit la Princesse, mais je sais bien que je suis fort bête, et c'est de là que vient le chagrin qui me tue.

– Si ce n'est que cela, Madame, qui vous afflige, je puis aisément mettre fin à votre douleur.

– Et comment ferez-vous ? dit la Princesse.

– J'ai le pouvoir, Madame, dit Riquet à la houppe, de donner de l'esprit autant qu'on en saurait avoir à celle que je dois aimer le plus ; et comme vous êtes, Madame, celle-là, il n'en tiendra qu'à vous que vous n'ayez autant d'esprit qu'on en peut avoir, pourvu que vous vouliez bien m'épouser.

La Princesse demeura tout interdite[2], et ne répondit rien.

– Je vois, reprit Riquet à la houppe, que cette proposition vous fait de la peine, et je ne m'en étonne pas ; mais je vous donne un an tout entier pour vous y résoudre.

La Princesse avait si peu d'esprit, et en même

---

1. Qui marque davantage qu'on a de l'esprit, que de croire n'en pas avoir : ce qui prouve le mieux qu'on a de l'esprit, c'est de penser qu'on en n'a pas. **2.** Interdite : stupéfaite.

temps une si grande envie d'en avoir, qu'elle s'imagina que la fin de cette année ne viendrait jamais ; de sorte qu'elle accepta la proposition qui lui était faite.

Elle n'eut pas plus tôt promis à Riquet à la houppe qu'elle l'épouserait dans un an à pareil jour, qu'elle se sentit tout autre qu'elle n'était auparavant ; elle se trouva une facilité incroyable à dire tout ce qui lui plaisait, et à le dire d'une manière fine, aisée et naturelle. Elle commença dès ce moment une conversation galante et soutenue avec Riquet à la houppe, où elle brilla d'une telle force que Riquet à la houppe crut lui avoir donné plus d'esprit qu'il ne s'en était réservé pour lui-même.

Quand elle fut retournée au Palais, toute la Cour ne savait que penser d'un changement si subit et si extraordinaire, car autant qu'on lui avait entendu dire d'impertinences[1] auparavant, autant lui entendait-on dire des choses bien sensées et infiniment spirituelles. Toute la Cour en eut une joie qui ne peut s'imaginer ; il n'y eut que sa cadette qui n'en fut pas bien aise, parce que n'ayant plus sur son aînée l'avantage de l'esprit, elle ne paraissait plus auprès d'elle qu'une guenon fort désagréable. Le Roi se conduisait par ses avis[2],

---

1. Impertinences : sottises. 2. Le roi se conduisait par ses avis : le roi suivait ses conseils.

et allait même quelquefois tenir le Conseil[1] dans son Appartement.

Le bruit de ce changement s'étant répandu, tous les jeunes Princes des Royaumes voisins firent grands efforts pour s'en faire aimer, et presque tous la demandèrent en Mariage ; mais elle n'en trouvait point qui eût assez d'esprit, et elle les écoutait tous sans s'engager avec l'un d'eux[2]. Cependant il en vint un si puissant, si riche, si spirituel et si bien fait, qu'elle ne put s'empêcher d'avoir de la bonne volonté pour lui. Son père s'en étant aperçu lui dit qu'il la faisait la maîtresse sur le choix d'un époux, et qu'elle n'avait qu'à se déclarer. Comme plus on a d'esprit et plus on a de peine à prendre une ferme résolution sur cette affaire, elle demanda, après avoir remercié son père, qu'il lui donnât du temps pour y penser.

Elle alla par hasard se promener dans le même bois où elle avait trouvé Riquet à la houppe, pour rêver plus commodément à ce qu'elle avait à faire. Dans le temps qu'elle se promenait, rêvant profondément, elle entendit un bruit sourd sous ses pieds, comme de plusieurs gens qui vont et viennent et qui agissent. Ayant prêté l'oreille plus attentivement, elle entendit que l'un disait : « Apporte-moi cette marmite » ; l'autre : « Donne-

1. Conseil : conseil des ministres restreint. 2. Sans s'engager avec l'un d'eux : sans en épouser aucun.

moi cette chaudière[1] » ; l'autre : « Mets du bois dans ce feu. » La terre s'ouvrit dans le même temps, et elle vit sous ses pieds comme une grande Cuisine pleine de Cuisiniers, de Marmitons et de toutes sortes d'Officiers[2] nécessaires pour faire un festin magnifique. Il en sortit une bande de vingt ou trente Rôtisseurs, qui allèrent se camper[3] dans une allée du bois autour d'une table fort longue, et qui tous, la lardoire à la main, et la queue de renard[4] sur l'oreille, se mirent à travailler en cadence au son d'une chanson harmonieuse.

La Princesse, étonnée de ce spectacle, leur demanda pour qui ils travaillaient.

– C'est, Madame, lui répondit le plus apparent de la bande, pour le prince Riquet à la houppe, dont les noces se feront demain.

La Princesse, encore plus surprise qu'elle ne l'avait été, et se ressouvenant tout à coup qu'il y avait un an qu'à pareil jour elle avait promis d'épouser le Prince Riquet à la houppe, elle pensa tomber de son haut. Ce qui faisait qu'elle ne s'en souvenait pas, c'est que, quand elle fit cette promesse, elle était bête, et qu'en prenant le nouvel esprit que le prince lui avait donné, elle avait oublié toutes ses sottises. Elle n'eut pas fait trente

---

1. Chaudière : récipient pour cuire les aliments. 2. Officiers : personnel chargé de cuisiner et servir. 3. Se camper : se placer. 4. Queue de renard : bonnet à queue porté par les cuisiniers des grandes maisons.

pas en continuant sa promenade, que Riquet à la houppe se présenta à elle, brave[1], magnifique, et comme un Prince qui va se marier.

– Vous me voyez, dit-il, Madame, exact à tenir ma parole, et je ne doute point que vous ne veniez ici pour exécuter la vôtre, et me rendre, en me donnant la main[2], le plus heureux de tous les hommes.

– Je vous avouerai franchement, répondit la Princesse, que je n'ai pas encore pris ma décision là-dessus, et que je ne crois pas pouvoir jamais la prendre comme vous la souhaitez.

– Vous m'étonnez, Madame, lui dit Riquet à la houppe.

– Je le crois, dit la Princesse, et assurément si j'avais affaire à un brutal, à un homme sans esprit, je me trouverais bien embarrassée. Une Princesse n'a que sa parole, me dirait-il, et il faut que vous m'épousiez, puisque vous me l'avez promis ; mais comme celui à qui je parle est l'homme du monde qui a le plus d'esprit, je suis sûre qu'il entendra raison. Vous savez que, quand j'étais bête, je ne pouvais néanmoins me résoudre à vous épouser ; comment voulez-vous qu'ayant l'esprit que vous m'avez donné, qui me rend encore plus difficile en gens que je n'étais, je prenne aujourd'hui une décision

1. Brave : élégant. 2. En me donnant la main : en m'épousant.

que je n'ai pu prendre dans ce temps-là ? Si vous pensiez tout de bon à m'épouser, vous avez eu grand tort de m'ôter ma bêtise, et de me faire voir plus clair que je ne voyais.

– Si un homme sans esprit, répondit Riquet à la houppe, serait bien reçu, comme vous venez de le dire, à vous reprocher votre manque de parole, pourquoi voulez-vous, Madame, que je n'en use pas de même[1], dans une chose où il y va de tout le bonheur de ma vie ? Est-il raisonnable que ceux qui ont de l'esprit soient d'une pire condition que ceux qui n'en ont pas ? Pouvez-vous le prétendre, vous qui en avez tant, et qui avez tant souhaité d'en avoir ? Mais venons au fait, s'il vous plaît : à la réserve de[2] ma laideur, y a-t-il quelque chose en moi qui vous déplaise ? Êtes-vous mal contente de ma naissance, de mon esprit, de mon humeur, et de mes manières ?

– Nullement, répondit la Princesse, j'aime en vous tout ce que vous venez de me dire.

– Si cela est ainsi, reprit Riquet à la houppe, je vais être heureux, puisque vous pouvez me rendre le plus aimable de tous les hommes.

– Comment cela se peut-il ? lui dit la Princesse.

– Cela se fera, répondit Riquet à la houppe, si

1. Si un homme sans esprit [...] serait bien reçu [...] à vous reprocher votre manque de parole, pourquoi voulez-vous, Madame, que je n'en use pas de même : si un homme d'esprit a raison de vous reprocher de ne pas tenir votre promesse, il doit, lui, être fidèle à la sienne. 2. À la réserve de : mis à part.

vous m'aimez assez pour souhaiter que cela soit ; et afin, Madame, que vous n'en doutiez pas, sachez que la même fée qui au jour de ma naissance me fit le don de pouvoir rendre spirituelle qui me plairait, vous a aussi fait le don de pouvoir rendre beau celui que vous aimerez, et à qui vous voudrez bien faire cette faveur.

– Si la chose est ainsi, dit la Princesse, je souhaite de tout mon cœur que vous deveniez le prince du monde le plus beau et le plus aimable ; et je vous en fais le don autant qu'il est en moi.

La Princesse n'eut pas plus tôt prononcé ces paroles, que Riquet à la houppe parut à ses yeux l'homme du monde le plus beau, le mieux fait, et le plus aimable qu'elle eût jamais vu.

Quelques-uns assurent que ce ne furent point les charmes de la fée qui opérèrent, mais que l'amour seul fit cette Métamorphose. Ils disent que la Princesse ayant fait réflexion sur la persévérance de son amant, sur sa discrétion[1], et sur toutes les bonnes qualités de son âme et de son esprit, ne vit plus la difformité de son corps, ni la laideur de son visage, que sa bosse ne lui sembla plus que le bon air d'un homme qui fait le gros dos ; et qu'au lieu que jusqu'alors elle l'avait vu boiter effroyablement, elle ne lui trouva plus qu'un certain air penché qui la

1. Discrétion : intelligence.

charmait ; ils disent encore que ses yeux, qui étaient louches[1], ne lui en parurent que plus brillants, que leur dérèglement passa dans son esprit pour la marque d'un violent excès d'amour, et qu'enfin son gros nez rouge eut pour elle quelque chose de Martial et d'Héroïque.

Quoi qu'il en soit, la Princesse lui promit sur-le-champ de l'épouser, pourvu qu'il en obtînt le consentement du roi son père. Le roi ayant su que sa fille avait beaucoup d'estime pour Riquet à la houppe, qu'il connaissait d'ailleurs pour un prince très spirituel et très sage, le reçut avec plaisir pour son gendre. Dès le lendemain les noces furent faites, ainsi que Riquet à la houppe l'avait prévu, et selon les ordres qu'il en avait donnés longtemps auparavant.

MORALITÉ
Ce que l'on voit dans cet écrit,
Est moins un conte en l'air que la vérité même ;
Tout est beau dans ce que l'on aime,
Tout ce qu'on aime a de l'esprit.

AUTRE MORALITÉ
Dans un objet[2] où la Nature,
Aura mis de beaux traits, et la vive peinture

---

1. Étaient louches : louchaient. 2. Objet : être que l'on aime.

D'un teint où jamais l'Art ne saurait arriver,
Tous ces dons pourront moins pour rendre un
   cœur sensible,
Qu'un seul agrément invisible
Que l'Amour y fera trouver.

Le Petit Poucet

Il était une fois un bûcheron et une bûcheronne qui avaient sept enfants, tous garçons ; l'aîné n'avait que dix ans, et le plus jeune n'en avait que sept.

On s'étonnera que le bûcheron ait eu tant d'enfants en si peu de temps ; mais c'est que sa femme allait vite en besogne, et n'en avait pas moins de deux à la fois.

Ils étaient fort pauvres, et leurs sept enfants les incommodaient[1] beaucoup, parce qu'aucun d'eux ne pouvait encore gagner sa vie. Ce qui les chagrinait encore, c'est que le plus jeune était fort délicat et ne disait mot : prenant pour bêtise ce qui était une marque de la bonté de son esprit.

Il était fort petit, et, quand il vint au monde, il n'était guère plus gros que le pouce, ce qui fit qu'on l'appela le petit Poucet. Ce pauvre enfant était le souffre-douleur de la maison, et on lui donnait toujours le tort. Cependant il était le plus fin et le plus avisé[2] de tous ses frères, et, s'il parlait peu, il écoutait beaucoup. Il vint une année très

---

1. Incommodaient : rendaient plus pauvres. **2.** Avisé : réfléchi.

fâcheuse, et la famine fut si grande que ces pauvres gens résolurent de se défaire de leurs enfants.

Un soir que ces enfants étaient couchés, et que le bûcheron était auprès du feu avec sa femme, il lui dit, le cœur serré de douleur :

– Tu vois bien que nous ne pouvons plus nourrir nos enfants ; je ne saurais les voir mourir de faim devant mes yeux, et je suis résolu de les mener perdre demain au bois, ce qui sera bien aisé, car, tandis qu'ils s'amuseront à fagoter[1], nous n'avons qu'à nous enfuir sans qu'ils nous voient.

– Ah ! s'écria la bûcheronne, pourrais-tu toi-même mener perdre tes enfants ?

Son mari avait beau lui représenter leur grande pauvreté, elle ne pouvait y consentir ; elle était pauvre, mais elle était leur mère. Cependant, ayant considéré quelle douleur ce lui serait de les voir mourir de faim, elle y consentit, et alla se coucher en pleurant. Le petit Poucet ouït tout ce qu'ils dirent, car ayant entendu, de dedans son lit, qu'ils parlaient d'affaires, il s'était levé doucement et s'était glissé sous l'escabelle de son père, pour les écouter sans être vu. Il alla se recoucher et ne dormit point du reste de la nuit, songeant à ce qu'il avait à faire.

Il se leva de bon matin, et alla au bord d'un ruis-

---

1. Fagoter : faire des fagots, des bottes de petit bois.

seau, où il emplit ses poches de petits cailloux blancs, et ensuite revint à la maison. On partit, et le petit Poucet ne découvrit rien de tout ce qu'il savait à ses frères. Ils allèrent dans une forêt fort épaisse, où à dix pas de distance, on ne se voyait pas l'un l'autre. Le bûcheron se mit à couper du bois, et ses enfants à ramasser des broutilles[1] pour faire des fagots. Le père et la mère, les voyant occupés à travailler, s'éloignèrent d'eux insensiblement, et puis s'enfuirent tout à coup par un petit sentier détourné.

Lorsque ces enfants se virent seuls, ils se mirent à crier et à pleurer de toute leur force.

Le petit Poucet les laissait crier, sachant bien par où il reviendrait à la maison, car en marchant il avait laissé tomber le long du chemin les petits cailloux blancs qu'il avait dans ses poches. Il leur dit donc :

– Ne craignez point, mes frères ; mon père et ma mère nous ont laissés ici, mais je vous ramènerai bien au logis : suivez-moi seulement.

Ils le suivirent, et il les mena jusqu'à leur maison, par le même chemin qu'ils étaient venus dans la forêt. Ils n'osèrent d'abord entrer, mais ils se mirent tous contre la porte, pour écouter ce que disaient leur père et leur mère.

1. Broutilles : petites branches.

Dans le moment que le bûcheron et la bûcheronne arrivèrent chez eux, le seigneur du village
leur envoya dix écus, qu'il leur devait il y avait
longtemps, et dont ils n'espéraient plus rien.

Cela leur redonna la vie, car les pauvres gens
mouraient de faim. Le bûcheron envoya sur
l'heure sa femme à la boucherie. Comme il y avait
longtemps qu'elle n'avait mangé, elle acheta trois
fois plus de viande qu'il n'en fallait pour le souper
de deux personnes. Lorsqu'ils furent rassasiés, la
bûcheronne dit :

– Hélas ! où sont maintenant nos pauvres
enfants ? Ils feraient bonne chère[1] de ce qui nous
reste là. Mais aussi, Guillaume, c'est toi qui les as
voulu perdre ; j'avais bien dit que nous nous en
repentirions. Que font-ils maintenant dans cette
forêt ? Hélas ! mon Dieu, les loups les ont peut-être
déjà mangés ! Tu es bien inhumain d'avoir perdu
ainsi tes enfants !

Le bûcheron s'impatienta à la fin ; car elle redit
plus de vingt fois qu'ils s'en repentiraient, et
qu'elle l'avait bien dit. Il la menaça de la battre si
elle ne se taisait.

Ce n'est pas que le bûcheron ne fût peut-être
encore plus fâché[2] que sa femme, mais c'est qu'elle
lui rompait la tête, et qu'il était de l'humeur de

1. Bonne chère : bon repas. 2. Fâché : peiné, accablé.

beaucoup d'autres gens, qui aiment fort les femmes qui disent bien, mais qui trouvent très importunes celles qui ont toujours bien dit[1]. La bûcheronne était tout en pleurs :

– Hélas ! où sont maintenant mes enfants, mes pauvres enfants !

Elle le dit une fois si haut, que les enfants, qui étaient à la porte, l'ayant entendue, se mirent à crier tous ensemble :

– Nous voilà ! Nous voilà !

Elle courut vite leur ouvrir la porte, et leur dit en les embrassant :

– Que je suis aise[2] de vous revoir, mes chers enfants ! Vous êtes bien las, et vous avez bien faim ; et toi, Pierrot, comme te voilà crotté, viens que je te débarbouille.

Ce Pierrot était son fils aîné, qu'elle aimait plus que tous les autres, parce qu'il était un peu rousseau, et qu'elle était un peu rousse.

Ils se mirent à table, et mangèrent d'un appétit qui faisait plaisir au père et à la mère, à qui ils racontaient la peur qu'ils avaient eue dans la forêt, en parlant presque toujours tous ensemble. Ces bonnes gens étaient ravis de revoir leurs enfants avec eux, et cette joie dura tant que les dix écus durèrent.

---

1. Importunes celles qui ont toujours bien dit : insupportables celles qui ont toujours raison. **2.** Que je suis aise : que je suis contente.

Mais, lorsque l'argent fut dépensé, ils retombèrent dans leur premier chagrin, et résolurent de les perdre encore ; et, pour ne pas manquer leur coup, de les mener bien plus loin que la première fois. Ils ne purent parler de cela si secrètement qu'ils ne fussent entendus par le petit Poucet, qui fit son compte de [1] sortir d'affaire comme il avait déjà fait ; mais, quoiqu'il se fût levé de grand matin pour aller ramasser de petits cailloux, il ne put en venir à bout, car il trouva la porte de la maison fermée à double tour.

Il ne savait que faire, lorsque, la bûcheronne leur ayant donné à chacun un morceau de pain pour leur déjeuner, il songea qu'il pourrait se servir de son pain au lieu de cailloux, en le jetant par miettes le long des chemins où ils passeraient : il le serra donc dans sa poche.

Le père et la mère les menèrent dans l'endroit de la forêt le plus épais et le plus obscur ; et, dès qu'ils y furent, ils gagnèrent un faux-fuyant [2], et les laissèrent là.

Le petit Poucet ne s'en chagrina pas beaucoup, parce qu'il croyait retrouver aisément son chemin, par le moyen de son pain qu'il avait semé partout où il avait passé ; mais il fut bien surpris lorsqu'il ne put en retrouver une seule miette ; les oiseaux étaient venus qui avaient tout mangé.

---

1. Fit son compte de : était sûr de se. 2. Faux-fuyant : chemin détourné, écarté.

Les voilà donc bien affligés ; car, plus ils marchaient, plus ils s'égaraient et s'enfonçaient dans la forêt.

La nuit vint, et il s'éleva un grand vent qui leur faisait des peurs épouvantables. Ils croyaient n'entendre de tous côtés que les hurlements de loups qui venaient à eux pour les manger. Ils n'osaient presque se parler, ni tourner la tête. Il survint une grosse pluie, qui les perça jusqu'aux os ; ils glissaient à chaque pas, et tombaient dans la boue, d'où ils se relevaient tout crottés, ne sachant que faire de leurs mains.

Le petit Poucet grimpa au haut d'un arbre, pour voir s'il ne découvrirait rien ; ayant tourné la tête de tous côtés, il vit une petite lueur comme d'une chandelle, mais qui était bien loin, par-delà la forêt. Il descendit de l'arbre, et lorsqu'il fut à terre, il ne vit plus rien : cela le désola. Cependant, ayant marché quelque temps avec ses frères, du côté qu'il avait vu la lumière, il la revit en sortant du bois. Ils arrivèrent enfin à la maison où était cette chandelle, non sans bien des frayeurs : car souvent ils la perdaient de vue ; ce qui leur arrivait toutes les fois qu'ils descendaient dans quelque fond.

Ils heurtèrent à la porte, et une bonne femme vint leur ouvrir. Elle leur demanda ce qu'ils voulaient. Le petit Poucet lui dit qu'ils étaient de pauvres enfants qui s'étaient perdus dans la forêt, et qui demandaient à coucher par charité. Cette femme, les voyant tous si jolis, se mit à pleurer, et leur dit :

– Hélas ! mes pauvres enfants, où êtes-vous venus ? Savez-vous bien que c'est ici la maison d'un Ogre qui mange les petits enfants ?

– Hélas ! madame, lui répondit le petit Poucet, qui tremblait de toute sa force, aussi bien que ses frères, que ferons-nous ? Il est bien sûr que les loups de la forêt ne manqueront pas de nous manger cette nuit si vous ne voulez pas nous retirer[1] chez vous, et cela étant, nous aimons mieux que ce soit Monsieur qui nous mange ; peut-être qu'il aura pitié de nous si vous voulez bien l'en prier.

La femme de l'Ogre, qui crut qu'elle pourrait les cacher à son mari jusqu'au lendemain matin, les laissa entrer, et les mena se chauffer auprès d'un bon feu ; car il y avait un mouton tout entier à la broche, pour le souper de l'Ogre.

Comme ils commençaient à se chauffer, ils entendirent heurter trois ou quatre grands coups à la porte : c'était l'Ogre qui revenait. Aussitôt sa femme les fit cacher sous le lit, et alla ouvrir la porte. L'Ogre demanda d'abord si le souper était prêt, et si on avait tiré du vin, et aussitôt se mit à

1. Retirer : mettre à l'abri.

table. Le mouton était encore tout sanglant, mais il ne lui en sembla que meilleur. Il fleurait[1] à droite et à gauche, disant qu'il sentait la chair fraîche.

— Il faut, lui dit sa femme, que ce soit ce veau que je viens d'habiller[2] que vous sentez.

— Je sens la chair fraîche, te dis-je encore une fois, reprit l'Ogre, en regardant sa femme de travers, et il y a ici quelque chose que je n'entends pas[3].

En disant ces mots, il se leva de table, et alla droit au lit.

— Ah ! dit-il, voilà donc comme tu veux me tromper, maudite femme ! Je ne sais à quoi il tient que je ne te mange aussi : bien t'en prend d'être[4] une vieille bête. Voilà du gibier qui me vient bien à propos pour traiter[5] trois ogres de mes amis, qui doivent me venir voir ces jours ici[6].

Il les tira de dessous le lit, l'un après l'autre. Ces pauvres enfants se mirent à genoux, en lui demandant pardon ; mais ils avaient affaire au plus cruel de tous les ogres, qui, bien loin d'avoir de la pitié, les dévorait déjà des yeux, et disait à sa femme que ce seraient là de friands morceaux, lorsqu'elle leur aurait fait une bonne sauce. Il alla prendre un

1. Fleurait : flairait. 2. Habiller : préparer une viande pour la cuisson. 3. Que je n'entends pas : que je ne comprends pas. 4. Bien t'en prend d'être : heureusement que tu es. 5. Traiter : recevoir. 6. Ces jours ici : ces jours-ci.

grand couteau ; et en approchant de ces pauvres enfants, il l'aiguisait sur une longue pierre, qu'il tenait à sa main gauche. Il en avait déjà empoigné un, lorsque sa femme lui dit :

– Que voulez-vous faire à l'heure qu'il est ? N'aurez-vous pas assez de temps demain ?

– Tais-toi, reprit l'Ogre, ils en seront plus mortifiés[1].

– Mais vous avez encore là tant de viande, reprit sa femme : voilà un veau, deux moutons et la moitié d'un cochon !

– Tu as raison, dit l'Ogre : donne-leur bien à souper afin qu'ils ne maigrissent pas, et va les mener coucher.

La bonne femme fut ravie de joie, et leur porta bien à souper ; mais ils ne purent manger, tant ils étaient saisis de peur. Pour l'Ogre, il se remit à boire, ravi d'avoir de quoi si bien régaler ses amis. Il but une douzaine de coups de plus qu'à l'ordinaire : ce qui lui donna un peu dans la tête[2], et l'obligea de s'aller coucher.

L'Ogre avait sept filles, qui n'étaient encore que des enfants. Ces petites ogresses avaient toutes le teint fort beau, parce qu'elles mangeaient de la chair fraîche, comme leur père ; mais elles avaient de petits yeux gris et tout ronds, le nez crochu, et

---

1. Mortifiés (terme de cuisine) : rendus tendres. 2. Lui donna un peu dans la tête : lui monta un peu à la tête.

une fort grande bouche, avec de longues dents fort aiguës et fort éloignées l'une de l'autre. Elles n'étaient pas encore fort méchantes ; mais elles promettaient beaucoup, car elles mordaient déjà les petits enfants pour en sucer le sang.

On les avait fait coucher de bonne heure, et elles étaient toutes sept dans un grand lit, ayant chacune une couronne d'or sur la tête. Il y avait dans la même chambre un autre lit de la même grandeur : ce fut dans ce lit que la femme de l'Ogre mit coucher les sept petits garçons ; après quoi, elle s'alla coucher auprès de son mari.

Le petit Poucet, qui avait remarqué que les filles de l'Ogre avaient des couronnes d'or sur la tête, et qui craignait qu'il ne prît à l'Ogre quelques remords de ne les avoir pas égorgés dès le soir même, se leva vers le milieu de la nuit, et prenant les bonnets de ses frères et le sien, il alla tout doucement les mettre sur la tête des sept filles de l'Ogre, après leur avoir ôté leurs couronnes d'or, qu'il mit sur la tête de ses frères et sur la sienne, afin que l'Ogre les prît pour ses filles, et ses filles pour les garçons qu'il voulait égorger.

La chose réussit comme il l'avait pensé ; car l'Ogre, s'étant éveillé sur le minuit, eut regret d'avoir différé au lendemain ce qu'il pouvait exécuter la veille. Il se jeta donc brusquement hors du lit, et, prenant son grand couteau :

– Allons voir, dit-il, comment se portent nos petits drôles ; n'en faisons pas à deux fois[1].

Il monta donc à tâtons à la chambre de ses filles, et s'approcha du lit où étaient les petits garçons, qui dormaient tous, excepté le petit Poucet, qui eut bien peur lorsqu'il sentit la main de l'Ogre qui lui tâtait la tête, comme il avait tâté celles de tous ses frères. L'Ogre, qui sentit les couronnes d'or :

– Vraiment, dit-il, j'allais faire là un bel ouvrage ; je vois bien que je bus trop hier au soir.

Il alla ensuite au lit de ses filles, où ayant senti les petits bonnets des garçons :

– Ah ! les voilà, dit-il, nos gaillards ; travaillons hardiment.

En disant ces mots, il coupa, sans balancer, la gorge à ses sept filles. Fort content de cette expédition, il alla se recoucher auprès de sa femme. Aussitôt que le petit Poucet entendit ronfler l'Ogre, il réveilla ses frères, et leur dit de s'habiller promptement et de le suivre. Ils descendirent doucement dans le jardin et sautèrent par-dessus les murailles. Ils coururent presque toute la nuit, toujours en tremblant, et sans savoir où ils allaient.

L'Ogre, s'étant éveillé, dit à sa femme :

– Va-t'en là-haut habiller[2] ces petits drôles d'hier au soir.

---

1. N'en faisons pas à deux fois : ne tardons pas. 2. Habiller : Perrault joue ici aussi sur le double sens du mot.

L'Ogresse fut fort étonnée de la bonté de son mari, ne se doutant point de la manière qu'il entendait qu'elle les habillât, et croyant qu'il lui ordonnait de les aller vêtir, elle monta en haut, où elle fut bien surprise, lorsqu'elle aperçut ses sept filles égorgées et nageant dans leur sang. Elle commença par s'évanouir, car c'est le premier expédient[1] que trouvent presque toutes les femmes en pareilles rencontres.

L'Ogre, craignant que sa femme ne fût trop longtemps à faire la besogne dont il l'avait chargée, monta en haut pour lui aider. Il ne fut pas moins étonné que sa femme lorsqu'il vit cet affreux spectacle.

– Ah ! qu'ai-je fait là ? s'écria-t-il. Ils me le payeront, les malheureux[2], et tout à l'heure.

Il jeta aussitôt une potée d'eau dans le nez de sa femme ; et, l'ayant fait revenir :

– Donne-moi vite mes bottes de sept lieues, lui dit-il, afin que j'aille les attraper.

Il se mit en campagne, et après avoir couru bien loin de tous les côtés, enfin il entra dans le chemin où marchaient ces pauvres enfants, qui n'étaient plus qu'à cent pas du logis de leur père. Ils virent l'Ogre qui allait de montagne en montagne, et qui traversait des rivières aussi aisément qu'il aurait fait le moindre ruisseau.

---

1. Expédient : moyen de sortir d'embarras. 2. Les malheureux : les méchants, les affreux.

Le petit Poucet, qui vit un rocher creux proche le lieu où ils étaient, y fit cacher ses six frères et s'y fourra aussi, regardant toujours ce que l'Ogre deviendrait. L'Ogre, qui se trouvait fort las du long chemin qu'il avait fait inutilement (car les bottes de sept lieues fatiguent fort leur homme), voulut se reposer ; et, par hasard, il alla s'asseoir sur la roche où les petits garçons s'étaient cachés. Comme il n'en pouvait plus de fatigue, il s'endormit après s'être reposé quelque temps, et vint à ronfler si effroyablement que les pauvres enfants n'eurent pas moins de peur que quand il tenait son grand couteau pour leur couper la gorge.

Le petit Poucet en eut moins de peur, et dit à ses frères de s'enfuir promptement à la maison pendant que l'Ogre dormait bien fort, et qu'ils ne se missent point en peine de lui. Ils crurent son conseil, et gagnèrent vite la maison.

Le petit Poucet, s'étant approché de l'Ogre, lui tira doucement ses bottes, et les mit aussitôt. Les bottes étaient fort grandes et fort larges ; mais, comme elles étaient fées, elles avaient le don de s'agrandir et de se rapetisser selon la jambe de celui qui les chaussait ; de sorte qu'elles se trouvèrent aussi justes à ses pieds et à ses jambes que si elles eussent été faites pour lui. Il alla droit à la maison de l'Ogre, où il trouva sa femme qui pleurait auprès de ses filles égorgées.

– Votre mari, lui dit le petit Poucet, est en grand danger ; car il a été pris par une troupe de voleurs, qui ont juré de le tuer s'il ne leur donne tout son or et tout son argent. Dans le moment qu'ils lui tenaient le poignard sur la gorge, il m'a aperçu et m'a prié de vous venir avertir de l'état où il est, et de vous dire de me donner tout ce qu'il a de vaillant[1], sans en rien retenir, parce qu'autrement ils le tueront sans miséricorde. Comme la chose presse beaucoup, il a voulu que je prisse ses bottes de sept lieues que voilà, pour faire diligence[2], et aussi afin que vous ne croyiez pas que je sois un affronteur[3].

La bonne femme, fort effrayée, lui donna aussitôt tout ce qu'elle avait ; car cet Ogre ne laissait pas d'être fort bon mari[4], quoiqu'il mangeât les petits enfants.

Le petit Poucet, étant donc chargé de toutes les richesses de l'Ogre, s'en revint au logis de son père, où il fut reçu avec bien de la joie. Il y a bien des gens qui ne demeurent pas d'accord de cette dernière circonstance, et qui prétendent que le petit Poucet n'a jamais fait ce vol à l'Ogre ; qu'à la vérité il n'avait pas fait conscience de[5] lui prendre ses bottes de sept lieues, parce qu'il ne s'en servait

1. Ce qu'il a de vaillant : ce qu'il possède. 2. Faire diligence : aller vite. 3. Affronteur : habile menteur. 4. Ne laissait pas d'être fort bon mari : était réellement un fort bon mari. 5. Pas fait conscience de : n'avait pas de scrupules à.

que pour courir après les petits enfants. Ces gens-là assurent le savoir de bonne part[1], et même pour avoir bu et mangé dans la maison du bûcheron.

Ils assurent que lorsque le petit Poucet eut chaussé les bottes de l'Ogre, il s'en alla à la cour, où il savait qu'on était fort en peine[2] d'une armée qui était à deux cents lieues de là, et du succès[3] d'une bataille qu'on avait donnée. Il alla, disent-ils, trouver le roi et lui dit que s'il le souhaitait, il lui rapporterait des nouvelles de l'armée avant la fin du jour. Le roi lui promit une grosse somme d'argent s'il en venait à bout.

Le petit Poucet rapporta des nouvelles, dès le soir même ; et cette première course l'ayant fait connaître, il gagnait tout ce qu'il voulait ; car le roi le payait parfaitement bien pour porter ses ordres à l'armée ; et une infinité de demoiselles lui donnaient tout ce qu'il voulait, pour avoir des nouvelles de leurs fiancés et ce fut là son plus grand gain.

Il se trouvait quelques femmes qui le chargeaient de lettres pour leurs maris ; mais elles le payaient si mal, et cela allait à si peu de chose[4], qu'il ne daignait mettre en ligne de compte ce qu'il gagnait de ce côté-là. Après avoir fait pendant quelque temps le métier de courrier, et y avoir amassé beaucoup de biens, il revint chez son père,

---

1. Bonne part : source sûre. **2.** Fort en peine : inquiet. **3.** Succès : résultat. **4.** Cela allait à si peu de chose : cela se montait à si peu.

où il n'est pas possible d'imaginer la joie qu'on eut de le revoir. Il mit toute sa famille à son aise. Il acheta des Offices[1] de nouvelle création pour son père et pour ses frères ; et par là il les établit tous, et fit parfaitement bien sa cour en même temps.

MORALITÉ
On ne s'afflige point d'avoir beaucoup
   d'enfants,
Quand ils sont tous beaux, bien faits et bien
   grands,
Et d'un extérieur qui brille ;
Mais si l'un d'eux est faible, ou ne dit mot,
On le méprise, on le raille, on le pille[2] :
Quelquefois, cependant, c'est ce petit marmot
Qui fera le bonheur de toute la famille.

---

1. Offices : charges, emplois. **2.** Pille : attaque.

Peau d'Âne

Perrault est l'auteur de huit contes en prose, mais aussi de trois contes en vers : Griselidis, Les Souhaits ridicules et Peau d'Âne. Leur forme les rend difficiles d'accès pour un jeune lecteur d'aujourd'hui. Aussi avons-nous choisi de ne proposer que le plus célèbre d'entre eux, Peau d'Âne, sous forme de deux extraits encadrés d'un résumé.

Un Roi perd son épouse. Celle-ci, avant de mourir, lui fait promettre de ne se remarier qu'à la condition de trouver une femme « plus belle, mieux faite et plus sage qu'elle ».

Personne dans le royaume ne correspond à cette description… sinon la propre fille du Roi. Il la demande donc en mariage. Celle-ci se rend chez la fée sa marraine pour lui demander conseil.

– Je sais, dit-elle, en voyant la Princesse,
Ce qui vous fait venir ici,
Je sais de votre cœur la profonde tristesse,
Mais avec moi n'ayez plus de souci.
Il n'est rien qui vous puisse nuire

Pourvu qu'à mes conseils vous vous laissiez
   conduire.
Votre Père, il est vrai, voudrait vous épouser ;
Écouter sa folle demande
Serait une faute bien grande,
Mais sans le contredire on le peut refuser.
Dites-lui qu'il faut qu'il vous donne
Pour rendre vos désirs contents,
Avant qu'à son amour votre cœur s'abandonne,
Une robe qui soit de la couleur du Temps.
Malgré tout son pouvoir et toute sa richesse,
Quoique le Ciel en tout favorise ses vœux[1],
Il ne pourra jamais accomplir sa promesse.
Aussitôt la jeune Princesse
L'alla dire en tremblant à son Père amoureux,
Qui, dans le moment, fit entendre
Aux Tailleurs les plus importants
Que s'ils ne lui faisaient, sans trop le faire
   attendre,
Une Robe qui fût de la couleur du Temps,
Ils pouvaient s'assurer qu'il les ferait tous pendre.

Elle exige ensuite une robe couleur de Lune ;
enfin une robe couleur du Soleil. Mais chaque fois,
les tailleurs du Roi fournissent la robe demandée.
Elle finit par demander à son père le sacrifice

1. Quoique le Ciel en tout favorise ses vœux : bien que tous ses vœux soient
exaucés.

suprême : la peau d'un âne magique qui, au lieu de crottin, fait des écus.

Le Roi est si désireux de l'épouser qu'il accède à cette nouvelle demande.

Désespérée, la Princesse s'enfuit du palais, dissimulée sous la peau de l'âne.

> Elle alla donc bien loin, bien loin, encor plus
>   loin ;
> Enfin elle arriva dans une Métairie[1]
> Où la Fermière avait besoin
> D'une souillon, dont l'industrie[2]
> Allât jusqu'à savoir bien laver des torchons,
> Et nettoyer l'auge aux Cochons.

> On la mit dans un coin au fond de la cuisine
> Où les Valets, insolente vermine,
> Ne faisaient que la tirailler,
> La contredire et la railler[3] ;
> Ils ne savaient quelle pièce[4] lui faire,
> La harcelant à tout propos ;
> Elle était la butte[5] ordinaire
> De tous leurs quolibets[6] et de tous leurs bons
>   mots.

> Elle avait le Dimanche un peu plus de repos,

1. Métairie : ferme. 2. Industrie : savoir-faire. 3. La railler : se moquer d'elle. 4. Pièce : mauvais tour. 5. Butte : cible (« être en butte à »). 6. Quolibets : moqueries.

Car ayant du matin fait sa petite affaire,
Elle entrait dans sa chambre et tenant son
   huis[1] clos
Elle se décrassait, puis ouvrait sa cassette,
Mettait proprement sa toilette,
Rangeait dessus ses petits pots ;
Devant son grand miroir, contente et satisfaite,
De la Lune tantôt la robe elle mettait,
Tantôt celle où le feu du Soleil éclatait,
Tantôt la belle robe bleue
Que tout l'azur des Cieux ne saurait égaler ;
Avec ce chagrin seul que leur traînante queue
Sur le plancher trop court ne pouvait s'étaler.
[...]
Un jour [un] jeune Prince, errant à l'aventure
De basse-cour en basse-cour,
Passa dans une allée obscure
Où de Peau d'Âne était l'humble séjour.
Par hasard il mit l'œil au trou de la serrure.
Comme il était fête ce jour[2],
Elle avait pris une riche parure
Et ses superbes vêtements
Qui, tissus de fin or et de gros diamants,
Égalaient du Soleil la clarté la plus pure.
[...]
Dans le Palais, pensif il[3] se retire

---

1. Huis : porte. 2. Il était fête ce jour : il y avait une fête ce jour-là. 3. Il : le
Prince.

Et là, nuit et jour, il soupire ;
Il ne veut plus aller au Bal
Quoiqu'on soit dans le Carnaval.
Il hait la Chasse, il hait la Comédie,
Il n'a plus d'appétit, tout lui fait mal au cœur,
Et le fond de sa maladie
Est une triste et mortelle langueur[1].
[...]
Cependant la Reine sa Mère,
Qui n'a que lui d'enfant, pleure et se désespère ;
De déclarer son mal elle le presse en vain,
Il gémit, il pleure, il soupire,
Il ne dit rien, si ce n'est qu'il désire
Que Peau d'Âne lui fasse un gâteau de sa main ;
[...]
Peau d'Âne donc prend sa farine
Qu'elle avait fait bluter[2] exprès,
Pour rendre sa pâte plus fine,
Son sel, son beurre et ses œufs frais.
[...]
On dit qu'en travaillant un peu trop à la hâte,
De son doigt par hasard il tomba dans la pâte
Un de ses anneaux de grand prix ;
Mais ceux qu'on tient savoir le fin de cette
    histoire[3]

---

1. Langueur : état de grande faiblesse morale et physique. 2. Bluter : tamiser.
3. Ceux qu'on tient savoir le fin de cette histoire : ceux qui, pense-t-on, connais-
sent la fin de cette histoire.

Assurent que par elle exprès il y fut mis ;
Et pour moi franchement je l'oserais bien croire.

Le Prince, malade d'amour, décrète qu'il épousera la jeune fille à qui cette bague appartient. Princesses, marquises, duchesses, toutes tentent leur chance. Peine perdue : aucune n'a le doigt assez fin. Puis c'est au tour des servantes et des filles de ferme. Même résultat.

Ne reste que Peau d'Âne, la souillon. Malgré les railleries, le Prince lui passe la bague au doigt et, à la surprise de tous, l'anneau lui va parfaitement. On reconnaît alors sous la crasse et la peau de bête une princesse à la beauté merveilleuse.

Le Prince décide de l'épouser sans plus tarder.

Parmi les rois venus du monde entier assister à la noce, se trouve le père de Peau d'Âne. Revenu à des sentiments paternels, il bénit l'union de sa fille avec le Prince.

Comme l'écrit finalement Perrault :

Le Conte de Peau d'Âne est difficile à croire,
Mais tant que dans le Monde on aura des
    Enfants,
Des Mères et des Mères-grands,
On en gardera la mémoire.

Carnet
de lecture

Qui êtes-vous, Monsieur Perrault ?

Itinéraire d'un enfant gâté

« Je suis né le douzième janvier 1628 et né jumeau. »
C'est ainsi que commencent les *Mémoires de ma vie*,
écrits par Charles Perrault peu avant sa mort.

Comme le petit Poucet, il est le dernier-né d'une
famille de sept enfants ; mais son frère jumeau, Fran-
çois, ne vit que six mois. Ses parents, très aisés, appartiennent à la haute bourgeoisie et accordent tous deux
beaucoup d'importance à l'éducation de leurs fils qui
font de brillantes études. Certains occuperont de
hautes fonctions au service du roi Louis XIV. Toute leur
vie, les frères vont se serrer les coudes et s'entraider.

Charles fait ses études au collège de Beauvais, près
de la Sorbonne. Tout l'enseignement de l'époque, et
même celui de la grammaire française, se fait en latin.
Perrault, excellent élève, écrit des vers mais, à la suite
d'une dispute avec son professeur de philosophie,
quitte le collège pour toujours.

Il s'inscrit en droit. Cependant, comme le métier
d'avocat ne l'intéresse pas, il préfère se consacrer à
l'écriture avec ses deux frères, Claude et Nicolas.
Ensemble ils traduisent des extraits de l'*Énéide* de
Virgile dont ils ridiculisent les personnages.

Tout en travaillant avec son frère Pierre, receveur

général des Finances, Charles écrit des poèmes galants et fréquente la bonne société. D'humeur agréable, cultivé et charmant, il fait l'unanimité autour de lui. Il rédige des odes pour célébrer le jeune roi qui, de ce fait, le remarque.

Un homme de lettres et de pouvoir

Louis XIV accède aux pleins pouvoirs en 1661. Perrault entame dès lors une brillante carrière au service de Colbert, puissant Premier ministre dont il sera l'homme de confiance pendant plus de vingt ans. Il est chargé de nombreuses responsabilités politiques et culturelles, puis devient une sorte de ministre de la Culture de l'époque. Travailleur acharné, il surveille les travaux d'architecture, notamment ceux de Versailles, vérifie l'approvisionnement en eau des fontaines, s'intéresse à l'hydraulique et aux innovations techniques comme la machine à tricoter. Malgré la quantité impressionnante de ses activités, il trouve encore le temps d'écrire et de publier.

Entré en 1671 à l'Académie française, il contribue à la modernisation de l'orthographe et de la langue française, rédige des discours à la gloire du roi, crée l'Académie des beaux-arts. Nommé au poste prestigieux de « contrôleur des bâtiments de Sa Majesté », il devient un homme clef du pouvoir, veillant à ce que peintres et sculpteurs, architectes et tapissiers travaillent à la gloire du monarque absolu.

À quarante-quatre ans, Charles se marie avec une jeune fille de dix-neuf ans. Ils ont quatre enfants. Veuf à cinquante ans, démis de ses fonctions après la mort de Colbert, cet homme public se consacre alors à l'éducation de ses enfants et à l'écriture.

La lecture d'un de ses poèmes, éloge de Louis XIV, déclenche la querelle des Anciens et des Modernes. Perrault, convaincu du progrès de l'intelligence et de la supériorité de l'art de son temps sur celui de l'Antiquité, prend la tête du mouvement des Modernes contre les partisans des textes anciens, défendus par La Fontaine et la majorité des écrivains de l'époque.

Nous sommes en 1695, Perrault est un très vieil homme de soixante-sept ans (la durée moyenne de vie à l'époque est de ving-cinq ans !). Cette année-là, Mademoiselle, la nièce de Louis XIV, se voit remettre un manuscrit écrit à la plume et illustré de dessins coloriés : ce sont les *Contes de ma mère l'Oye*.

Pourquoi l'écrivain, chef des Modernes, s'est-il intéressé à des contes « de vieilles » alors qu'il avait horreur des superstitions populaires ? Pourquoi ce grand bourgeois, qui méprise le peuple, a-t-il récrit des contes « naïfs » ?

Un auteur masqué

Curieusement, ces premiers *Contes de ma mère l'Oye* ne sont pas signés de Charles Perrault mais des simples initiales P. P.

113

De même, l'année suivante, un certain sieur d'Armancour publie *Histoires ou Contes du temps passé*, avec des moralités, recueil de huit contes en prose. Ce sieur d'Armancour et le mystérieux P. P. ne sont en réalité qu'une seule et même personne : Pierre Perrault, le troisième enfant de Charles, alors âgé de dix-sept ans.

Quel a donc été son rôle dans l'écriture des *Contes* ? Charles a-t-il envoyé son fils auprès des quelque quatre mille domestiques de Versailles pour y collecter des histoires de nourrices ? Ces histoires ont-elles circulé au contraire dans sa propre maison ? Le père a-t-il imposé à son fils une sorte d'exercice de style qu'il a ensuite retravaillé ?

À moins que l'académicien ait écrit seul, mais qu'il ait refusé de signer ces contes en prose, les jugeant indignes de sa carrière, de son talent et de sa réputation… À l'époque, en effet, les contes populaires, « bons pour éduquer les filles » ou « amuser ses enfants », sont un genre méprisé. Comme la plupart des conteuses du Cabinet des fées issues de l'aristocratie provinciale, qui écoutent et retranscrivent sur de petits cahiers les contes entendus dans les offices et les chambres, là où les nourrices bercent de lait et de mots leurs enfants, Perrault a choisi d'attribuer les *Histoires ou Contes du temps passé* à son plus jeune fils.

Jamais en tout cas il n'a reconnu avoir écrit les *Contes*, même s'il a avoué s'y être amusé. À sa mort pourtant, en 1703, c'est à lui qu'ils sont attribués.

La France au temps de Perrault

Il était une fois un royaume de France couvert de prés et de forêts. Les nuits y étaient noires, les chemins peu sûrs, les villes petites, dangereuses et crottées.

Le jeune monarque Louis XIV habite dans le triste palais du Louvre. Comme il veut être « le plus grand roi du monde », il lui faut instaurer une paix durable à l'intérieur comme à l'extérieur du pays. Il décide pour cela d'afficher sa puissance et de réconcilier autour de lui, dans « le plus beau château du monde », un millier de nobles, seigneurs et princes qui se sont affrontés sans relâche durant la Fronde. Pour agrandir le château de Versailles, il dépense des millions de livres, fait venir les meilleurs architectes, les artistes et artisans les plus habiles ainsi que 36 000 ouvriers, et fait fabriquer de précieux miroirs créés en Italie.

Versailles est bientôt le siège des fêtes les plus fastueuses. Celles de mai 1664 durent sept jours et sept nuits. Lully et Molière y donnent pour l'occasion *Les Plaisirs de l'Île enchantée*. À la lueur de milliers de chandelles, dans le murmure des grandes eaux, le roi danse, vêtu en Apollon. Tables et guéridons sont couverts de cristal, de vaisselle d'or, de porcelaine fine et regorgent de mets exquis. La cour s'extasie des féeries : décors raffinés, machineries, feux d'artifice…

On s'y montre richement paré, on s'y « fait mille grâces », car l'habit fait le marquis.

Mais les guerres reprennent et se succèdent... Le pays, pillé, en proie à la sécheresse, aux pluies diluviennes, aux hivers rigoureux, s'appauvrit. L'eau manque et les grandes famines reviennent. La mortalité infantile surtout est effarante. On voit partout, sur les routes de France, des mendiants en guenilles et « certains animaux farouches, des mâles et des femelles, répandus par la campagne, noirs, livides, ou tout brûlés par le soleil, attachés à la terre qu'ils fouillent et qu'ils remuent [...]. Et quand ils se lèvent sur leurs pieds, ils montrent une face humaine, et en effet, ce sont des hommes [...]. Ils vivent de pain noir, d'eau et de racines. » (La Bruyère, *Les Caractères*, 128, XI.)

Gentilshommes et dames de qualité s'ennuient désormais dans le royaume de France ruiné par les guerres. En cette fin de règne, on a fondu la vaisselle d'argent et, pour se divertir, nobles et grands bourgeois se passionnent pour les jolies phrases et les bons mots. Ils inventent des jeux littéraires, impromptus ou devinettes, lisent et récitent des fables, dont celles de La Fontaine. On raffole aussi des contes, qui se publient par centaines : la « bonne société » a gardé la nostalgie des somptueuses fêtes passées de Versailles.

C'est à ce public adulte des salons que Perrault destine ses contes. Mais pas seulement : il dédie aussi son ouvrage aux jeunes enfants, afin d'éduquer leur raison. Car contrairement aux idées de son temps, pour qui un *in-fans*, « celui qui ne parle pas encore », reste dépourvu de raison, le vieil académicien croit au développement de l'intelligence enfantine.

Comme La Fontaine il essaie, en vrai pédagogue, de « plaire pour instruire ».

Du conte populaire au conte de fées

Petite histoire des histoires

Le conte populaire est un récit de tradition orale, assez bref, un récit d'action qui concerne les adultes comme les enfants. Transmis de bouche à oreille, sans qu'on sache qui en est l'auteur, il appartient à la mémoire des hommes. Il a voyagé avec eux. Entendu puis répété, il continue d'être adopté et adapté par ceux qui souhaitent le raconter à leur tour, hier comme aujourd'hui. C'est sans doute parce que les enfants le réclament, encore et toujours, qu'il est parvenu bien vivant jusqu'à nous.

Certains contes possèdent une grande famille aux quatre coins du monde. Ainsi, il existe plus de trois cents versions de *Cendrillon*, quelque deux cents du *Petit Poucet* et une centaine du *Chat botté* ou de La *Barbe bleue* pour ne citer que les titres choisis par Charles Perrault… Trouver dans le monde un sujet de conte inédit reste un exploit.

Qui entend « contes » pense généralement « contes de fées », histoires magiques… Or celles-ci ne constituent en réalité qu'une petite partie du vaste ensemble des récits traditionnels dont il est bien difficile de tracer les frontières précises.

Les histoires les plus anciennes sont les épopées,

longs poèmes guerriers, et les mythes, récits sacrés qui racontent les débuts du monde, du ciel et de la terre, ainsi que les démêlés des dieux et des hommes.

Les fables, d'origines très anciennes, elles aussi, sont des histoires à la morale explicite ayant souvent recours aux animaux pour incarner des hommes et dénoncer leurs travers.

Au pays des merveilles

Certains contes populaires appartiennent au genre dit « merveilleux ».

Ce sont les récits les plus longs, de pures fictions, dénuées de psychologie où tout est possible et accepté comme tel : la rencontre avec des créatures extraordinaires (ogres, fées, sorcières, dragons, nains, magiciens) ; le passage dans le monde de la mort ; la métamorphose d'un homme en animal ou en chose, et celle d'un animal sous les traits d'un humain.

Ces fictions appartiennent toujours au passé. Voilà pourquoi le conte merveilleux commence toujours par « Il était une fois », « Il y a très longtemps », « Jadis, aux temps anciens, quand les désirs s'exauçaient encore »… Les personnages et les lieux de l'action ne sont pas précisés (on y évoque un roi, un château, une forêt…) mais les uns et les autres sont identifiés par des signes particuliers.

Le récit commence par un manque ou une injustice à réparer. Le héros part alors en quête d'un objet rare, d'un animal à nul autre pareil, d'un amour perdu à retrouver, d'une identité à découvrir… Le héros (fille ou garçon) avance… Il fait beaucoup de chemin ! Mais ce chemin d'épreuves mouvementé est bien balisé. La structure répétitive de ces récits est un rappel de leur oralité et un clin d'œil à la vie où il est difficile de réussir du premier coup.

Le héros doit savoir rendre service et accepter d'être aidé, telle est la loi du genre. Et tout se termine le plus souvent par une réparation, un mariage ; le héros a vaincu des obstacles importants : à lui la fête et le repos.

Le temps des contes merveilleux, c'est celui du passage d'un état à un autre : de l'enfance à l'adolescence ou de l'adolescence à l'âge adulte désigné par l'étape obligée du mariage. La formule stéréotypée « ils furent heureux et eurent beaucoup d'enfants » fait partie du rituel du conte et ferme la narration.

Perrault et les fées

À l'époque de Perrault, les fées entrent en force dans les contes. À la façon des Parques de l'Antiquité, elles président aux destinées du héros. Créatures susceptibles, capricieuses, bonnes ou méchantes, radieuses ou affreuses, elles usent et abusent de leur pouvoir, mêlent paroles et magie, offrent des dons à la naissance, jettent des sorts qu'il convient de savoir déjouer. De leur humeur changeante dépendent les tours et détours du conte. Avec les fées, place aux tourments de l'enchantement : est-ce un don moins encombrant de cracher vipères et crapauds que perles et diamants ?

On doit l'arrivée des fées aux conteurs italiens connus de Perrault. À son tour, celui-ci s'en régale : la bonne fée qui veille sur la Belle au bois dormant habite le royaume de Mataquin et se déplace « dans un chariot tout de feu, tiré par des dragons ». Celle de Cendrillon utilise une baguette qui, d'un coup, transforme tout à l'envi. La marraine de Peau d'Âne, « admirable fée » de bon conseil, réside dans une grotte « de nacre et de corail richement étoffée ». Enfin celle de Riquet à la houppe distribue les dons aux nouveaunés princiers de façon injuste. Mais Perrault garde à l'égard de la féerie tant prisée à son époque une certaine distance : loin d'en abuser, il s'en amuse…

Ses contes restent cependant des contes littéraires. Certes, ils empruntent à la mémoire populaire, mais l'écriture y prend le pas sur l'oralité : le texte devient plus important que l'histoire. On le lit plutôt qu'on ne le raconte et, surtout, il est signé d'un auteur.

Petites clefs des contes de Perrault

Trois siècles après la mort de Perrault, ses contes, ces « bagatelles » du temps passé, ces folies baroques pleines d'enchantements et de sortilèges, ces histoires à dormir debout auxquelles on associe toujours les enfants, nous sont devenus si familiers qu'on les appelle des « classiques ».

Mais de la grande féerie au fait divers, de *Cendrillon* à *La Barbe bleue*, c'est souvent un voyage en eaux troubles auquel nous sommes conviés ! Que de noirceur, de cruauté, voire de cauchemars dans ces contes. Et il serait fou de se fier aux fées, bonnes ou mauvaises, tant elles prennent plaisir à embrouiller les fils du destin !

Perrault nous parle des difficultés de l'enfance, de parents qui abandonnent leurs petits dans la forêt, de pères qui désirent leur propre fille, de sœurs en proie à une jalousie féroce… Comment se débrouiller seul pour ne pas se faire manger par un ogre ou dévorer par un loup ? Comment, à l'heure du mariage, faire confiance à l'amour qui se présente avec de la vaisselle d'or et d'argent et une belle maison à la campagne ? Faut-il vraiment être laid pour être intelligent et totalement sotte pour être belle ? Pour réussir et faire fortune, faut-il hériter d'un chat un peu culotté et surtout bien botté ?

L'humour et l'ironie de Perrault donnent à ces courts récits une saveur inégalée et une modernité toujours vive. En grand conteur, il ne perd jamais de vue le sens des réalités, du détail qui fait mouche : ainsi au réveil de la Belle au bois dormant et de son entourage, il écrit : « Comme ils n'étaient pas tous amoureux, ils mouraient de faim. »

Table des matières

Mise en pages : David Alazraki

Loi n° 49-956 du 16 juillet 1949
sur les publications destinées à la jeunesse
ISBN : 978-2-07-062763-9
Numéro d'édition : 254506
Premier dépôt légal : août 2009
Dépot légal : avril 2013

Imprimé en Espagne par Novoprint (Barcelone)